Marguerite Blais

Les lieux de mon cœur

Récits autobiographiques

Préface du Dr Réjean Thomas – Témoignage de Julie Snyder
Avant-propos de Jacques Rhéaume, Ph.D.

MARCEL BROQUET
La nouvelle édition

Catalogage avant publication de Bibliothèque et Archives nationales du Québec et Bibliothèque et Archives Canada

Blais, Marguerite, 1950-

Les lieux de mon cœur

(Passion et défi)

Comprend des références bibliographiques.

ISBN 978-2-89726-248-8

1. Blais, Marguerite, 1950-   . 2. Femmes politiques - Québec (Province) - Biographies. 3. Animatrices de télévision - Québec (Province) - Biographies. I. Titre. II. Collection : Passion et défi.

FC2927.1.B52A3 2016   971.4'05092   C2016-940210-X

Pour l'aide à la réalisation de son programme éditorial, l'éditeur remercie la Société de développement des entreprises culturelles (SODEC), le Programme de crédit d'impôt pour l'édition de livres - gestion SODEC.
L'éditeur remercie également le Gouvernement du Canada pour son aide octroyée par le programme du Fonds du livre du Canada.

SODEC
Québec ▦ ▦   Canada

Marcel Broquet Éditeur
580, rue du Mistral, Salaberry-de-Valleyfield (Québec) Canada J6T 0B4
Téléphone : 450 747-0676
marcel@marcelbroquet.com
www.marcelbroquet.com

Création de la couverture : Alejandro Natan
Mise en page : Alejandro Natan
Photo de la couverture: Serge Grenier
Révision : Vicky Winkler

Distribution :
Messageries ADP* 2315, rue de la Province, Longueuil (Québec), Canada J4G 1G4
Tél. : 450 640-1237 - Téléc. : 450 674-6237
www.messageries-adp.com
* filiale du Groupe Sogides inc.
  filiale du Groupe Livre Quebecor Media inc.

Distribution pour la France et le Benelux :
DNM Distribution du Nouveau Monde
30, rue Gay-Lussac, 75005 Paris
Tél. : 01 42 54 50 24 Fax : 01 43 54 39 15
Librairie du Québec
30, rue Gay-Lussac, 75005 Paris
Tél. : 01 43 54 49 02
www.librairieduquebec.fr

Pour tous les autres pays :
Marcel Broquet Éditeur
580, rue du Mistral, Salaberry-de-Valleyfield,
(Québec) Canada J6T 0B4
Téléphone : 450 747-0676
marcel@marcelbroquet.com
www.marcelbroquet.com

Diffusion – Promotion :
r.pipar@phoenix3alliance.com

Dépôt légal : 2e trimestre 2016
Bibliothèque et Archives du Québec
Bibliothèque et Archives Canada
Bibliothèque nationale de France

Table des matières

Dédicaces

À mes quelques amis et à ces êtres dont le souvenir est impérissable.

À Rosette Pipar qui m'a guidée dans cette écriture.

À Marcel Broquet, mon éditeur qui m'a témoigné toute sa confiance.

À mes enfants Cécilia, Carlos, Francisco et Chiraz.

À mes petits-enfants Malya, Antoine, Taïna, Aurélie, Aziz, Sara, Santiago afin qu'ils se souviennent de leur grand-père et de leur grand-mère.

À la mémoire de Jean-Guy Faucher, l'homme d'une vie.

Préface

Le passage de l'oral à l'écrit, le passage du piano et des claquettes aux études postdoctorales, le passage de la scène culturelle à la scène politique, du show-business à la colline parlementaire, tel est le parcours exceptionnel – et totalement atypique, sans l'ombre d'un doute – de Marguerite Blais. Je connais Marguerite depuis plus de trente ans et je l'admire.

Marguerite Blais aime jongler avec les paradoxes et prendre à bras le corps des dossiers complexes ou des causes dont personne ne se soucie. Elle étudie la culture de la communauté des Sourds dans un département de communication. Elle devient députée d'un comté où l'extrême pauvreté côtoie l'extrême richesse. Puis, à titre de ministre responsable des Aînés, elle se bat pour imposer le respect des personnes âgées, cette partie de la population laissée pour compte, dans l'ombre et le silence, bien qu'elle ne cesse de croître au plan statistique.

Marguerite Blais dit de son parcours qu'il est éclectique. De mon point de vue, je dirais plutôt qu'elle est profondément ancrée dans la multidisciplinarité, tant au plan du format que du contenu. Au cours de sa vie médiatique, elle passera d'un studio de radio au plateau de télévision, du métier de chroniqueuse à la circulation, à celui d'animatrice artistique. C'est durant cette période qu'une émission, en particulier, concrétisera auprès du public son engagement envers la

communauté des aînés. À la fin des années 70, l'émission
À votre service, permet de faire entendre la voix des personnes
âgées.

À la fin des années 80 - début des années 90, Marguerite Blais
coanime, avec Louise-Andrée Saulnier, sexologue, l'émission
Des mots pour le dire. Si les préjugés et la discrimination sont
des maux sociaux qui perdurent aujourd'hui, ils étaient très
puissants et particulièrement nuisibles vingt-cinq ans plus
tôt. Les animateurs devaient faire preuve de bien du courage
et s'afficher avec détermination pour aborder des sujets sous
omerta, tels que les abus sexuels ou d'autres interdits sur la
sexualité sortant d'une « normalité ». On pourra se questionner
encore longtemps sur ce sujet en matière de sexualité ou sur
d'autres enjeux individuels et sociaux. Cette émission a permis
de briser des tabous, de bousculer des esprits bien-pensants,
de faire évoluer le discours. À cet égard, je tiens à souligner
la lutte qu'a menée Marguerite contre la discrimination à
l'endroit des homosexuels, à une époque où cette dénonciation
n'était pas tout à fait de bon goût, ni très à la mode.

Il aura fallu plusieurs années à Marguerite Blais pour
entrer en politique. Bien des offres lui ont été faites à partir
de 1985, offres qu'elle a déclinées les unes après les autres.
Les demandes se succèdent jusqu'à sa nomination en
2003 au Conseil de la famille et de l'enfance. C'est sur ce
terrain – la cruelle arène politique – que Marguerite Blais
va poursuivre son travail de modelage social afin de faire
accepter, puis d'implanter de nouveaux paradigmes visant
l'équité, notamment entre les femmes et les hommes.

En 2007, lorsqu'elle accède au ministère des Aînés, cela fait vingt ans qu'elle insiste sur la nécessité d'être de cette instance gouvernementale. C'est dire que la pression est forte et elle va parvenir à relever le défi. Pendant son mandat, elle implante le concept créé par l'organisation mondiale de la santé « Villes amies des aînés » mais surtout, elle mène une consultation publique sur les conditions de vie des aînés ; exercice durant lequel, pour une première fois, des centaines de personnes vont pouvoir exprimer leur vulnérabilité, leur isolement, leur détresse, et démontrer leur impressionnante résilience.

C'est sans aucun doute sur le terrain de la vulnérabilité sociale que Marguerite Blais et moi-même – ainsi que l'équipe qui m'entoure à la clinique – nous rejoignons complètement. Garder à l'esprit, en toutes circonstances, que la vulnérabilité sociale, quelle que soit sa déclinaison, est un fardeau contre lequel il est de la responsabilité de chacun de lutter. « Un gouvernement a le devoir de trouver un point d'ancrage qui se situe entre l'équilibre budgétaire et les besoins des personnes qu'il protège. De réduire les inégalités sociales ».

Grâce à la politique et pour la paraphraser, Marguerite Blais aura fait avancer des enjeux de société. En 2015, elle quitte le milieu et les dossiers qui lui tiennent à cœur. Mais sa trajectoire ne saurait s'arrêter là pour autant. Le lien transversal qui réunit les étapes de sa vie professionnelle est sans doute sa grandeur d'âme et son grand cœur. Certes, ces mots peuvent sembler banals car trop utilisés, galvaudés, dans des contextes qui ne les méritent pas. Dans le cas de Marguerite Blais, ces mots sont authentiques.

Marguerite sait reconnaître les moments véritables et très rares où il est essentiel de capter l'existence parce qu'on la sait fragile. Le caractère unique de ces moments qui ne reviendront plus. Elle sait saisir le moment présent, juste en soi, pour ce qu'il est. Le temps présent, ancré entre un passé qu'il nous rappelle et un avenir auquel il appartiendra, avec le goût doux ou amer, c'est selon, des souvenirs.

Marguerite Blais porte un regard très lucide et empathique sur le système de santé, ses intervenants, ses bénévoles qui se dévouent corps et âme pour soulager et apaiser la douleur de ceux qui vont partir en laissant ceux qui restent dans une solitude silencieuse. L'incapacité des médecins à guérir leurs patients. L'inconditionnel engagement des proches impuissants à soulager et à faire en sorte que le destin change de cap.

Ce sentiment m'est très familier et me rappelle l'époque où mes patients mouraient du sida avant l'arrivée des thérapies contre le VIH. Je suis reconnaissant à Marguerite de souligner l'engagement sans borne de ces médecins, ces intervenants, ces proches aidants ou proches de cœur comme elle l'exprime. Être proche de cœur, c'est être l'homme ou la femme orchestre, celui ou celle qui fait tout à la fois, parle avec les yeux et les mains, sait entendre sans mots, offre le réconfort sans limite. Être vivant dans le présent et faire abstraction de soi. Se mettre entre parenthèses.

Ces qualités-là, Marguerite, les a toujours portées en elle, depuis son indéfectible soutien à la population de son quartier d'origine, le dossier des aînés qu'elle a mené de main de maître, les soins palliatifs où elle a accompagné son époux. J'ai bien connu Jean-Guy Faucher, un être tout en délicatesse et en subtilité que j'ai beaucoup apprécié. L'accompagnement des personnes en fin de vie se fait dans une immense solitude. Cette solitude qui consiste à exister dans le monde des vivants.

J'aimerais souligner une des phrases qui m'a ému dans ce livre : « … j'ai semé plus de cailloux sur mon parcours que sur le restant de ma trajectoire à venir ». Il est certain que plus le temps passe, moins il en reste. C'est le principe du sablier. Mais il faut se souvenir

Dr Réjean Thomas

que plus le temps passe, moins il est nécessaire de semer des cailloux car les précédents ont laissé leur trace. Et ces traces sont bien palpables dans la façon dont les nouvelles générations reprennent le flambeau de dossiers que Marguerite a menés. C'est précisément ça, le travail des cailloux.

Et je suis convaincu que de ce passage mouvementé et bouleversant que vous venez de vivre, sur la fine ligne entre les vivants et ceux qui nous quittent, vous en sortirez grandie, Madame Blais, et que vous saurez, dans les années à venir, nous enseigner bien d'autres leçons d'humanité.

Docteur Réjean Thomas

Avant-propos

Ce récit, de type autobiographique, présente une facture originale, non linéaire, d'un parcours de vie. Ce n'est pas une suite mécanique d'événements, mais plutôt des fragments de vie, où s'entremêlent rencontres de personnes et situations différentes, avec des temporalités variées. En effet, une expérience vécue dans une période spécifique comporte une dimension d'actualité, mais elle est aussi traversée de rappels d'expériences antérieures, voire de projets pour l'avenir. Cela entraîne, pour le lecteur ou la lectrice, la nécessité d'une réception complexe jouant sur plusieurs registres – pour reprendre une figure musicale d'organiste – référence au monde de la musique chère à l'auteure. Ce sont quelques pistes ou clés de lecture que nous offrons ici aux lecteurs.

Une première clé de lecture, très explicite dans toute l'œuvre, est celle de l'imaginaire du « cœur ». D'emblée, il s'exprime dans l'expérience amoureuse de l'auteure et dans toutes les figures de l'amour : de son mari d'abord, de ses enfants, de ses parents, d'amis, mais aussi des jeunes en cours de carrière, des populations marginalisées, des sourds, des aînés… Ses proches, ses amis, toutes ces personnes font l'objet d'autant de présentations vivantes et personnalisées dans le texte. L'amour, comme mode d'être, s'ancre chez elle dans une poursuite incessante d'une action humaniste et humanitaire : valoriser le lien humain et agir pour redonner dignité et capacités citoyennes.

L'image du cœur évoque aussi, en filigrane, une autre signification, celle du courage, mot qui provient, dans le français du Moyen-Âge, du mot « cœur ». En effet, les épisodes de vie relatés mettent en évidence cette volonté risquée et soutenue d'agir pour affronter les épreuves, ce qui est l'essence même du courage. Face aux exigences du travail, aux aléas de vie publique, à la maladie et à la perte des proches, cela consiste à poursuivre toujours une visée d'excellence et de qualité de vie, cela suppose du « cœur courage ». D'autres associations pertinentes se retrouvent aussi dans le récit : le cœur comme forme d'intelligence sensible, intuitive, compréhensive dans la proximité, intelligence du cœur ; le cœur comme organe vital, source d'énergie, associée au sang, à l'animation interne de la vie.

Une autre trame du récit – et c'est aussi une clé de lecture complexe – est le domaine artistique, concrétisé par l'expérience et le travail sur une durée de plus de trente ans dans le domaine. Il convient de souligner l'importance décisive, dans l'éducation première, d'une mère professeure de danse, d'une enfance marquée par des performances médiatiques, des études musicales au conservatoire. S'ensuit une longue carrière dans les médias avec des rôles variés :

à la radio, la télévision, sur les scènes de spectacle, dans la publicité, le marketing, sans parler de ses rôles d'animatrice, intervieweuse, porte-parole de campagnes de financements pour des causes humanitaires... L'art et l'esthétique se fondent aussi chez elle dans une maîtrise et une aisance progressive dans l'usage des langages : le gestuel de la danse, de l'expression corporelle ; l'oral, par la présence à la radio ou à la télévision ; l'écrit, dans le travail de scénarios, mémos, articles et publications de recherche. Tout cela s'inscrit dans un souci constant de communication pour rejoindre les gens de divers milieux, n'oubliant jamais les milieux des classes moyennes ou à faible revenu, ces milieux dits « populaires ».

Cette expérience artistique se traduit dans le texte même de cette autobiographie, cette fois sous la forme littéraire d'un imaginaire fantastique, de figures de conte, présent dans tous les interstices du récit. C'est l'évocation de fées ou d'anges bienfaiteurs, du désir d'une Grande maison, d'un dragon sympathique, de guides pour l'ascension, de mentors... Cendrillon et la Belle au bois dormant ne sont pas loin... Et ces références sont à la fois l'expression spontanée d'une volonté de vivre intensément, avec des aspirations parfois même grandioses de « star» ou d'excellence, couplées à un regard humoristique et en quelque sorte, autocritique, de prise de distance sur soi-même. En effet, les événements décrits dans son récit viennent, en contrepoint de ces évocations, montrer les difficultés, les limites, voire le tragique des situations rencontrées, où les succès et le plaisir côtoient échec et souffrance.

L'expérience dans le champ des communications d'une « vie d'artiste » repose aussi sur les exigences du travail et du métier. Toutes ces prestations diverses impliquent en effet une créativité effective qui se traduit dans des règles de l'art, pour reprendre le vrai sens de cette expression : une activité qui se fait dans le respect de normes précises. Il s'agit alors de maîtriser sa voix, sa diction, soigner son apparence appropriée aux contextes, respecter les délais, garder sourire et contenance, assumer des préparations exigeantes en temps et rencontres, assurer une disponibilité contraignante… Ces exigences de performance et de beauté représentent une autre clé traversant le récit.

Un épisode important dans la vie de l'auteure est la traversée des études universitaires, vues comme une balise significative de la passion qui l'anime : connaître, savoir. Et ces études ne portent pas sur un objet quelconque. Étudier « la culture sourde » est une recherche qui s'inscrit dans le prolongement d'une implication de travail de communication, ayant été porte-parole d'une campagne de sensibilisation à la cause sociale des sourds. Ce fut aussi l'occasion d'un apprentissage de la langue des signes, pour mieux entrer en profondeur dans cet univers nouveau. Ces travaux visaient à mieux faire connaître ce monde « invisible » dans notre société que sont les sourds, leur richesse culturelle comme leurs difficultés de vivre. Engagement et connaissance continuent ici à être liés, comme l'ont été d'autres formes d'action, telle la conduite d'entretiens à la télévision, visant à faire partager le vécu de personnalités diverses parfois peu connues, ou certains dossiers et études menés dans sa vie politique, comme la famille ou les aînés.

La sensibilité de l'auteure, concernant les différences de classes sociales éprouvées dans son expérience de vie même – car, issue d'une famille à revenus modestes, elle a connu une forte ascension sociale – est une autre clé permettant de comprendre divers épisodes de son récit. La partie décrivant sa famille d'origine et son enfance rend bien compte, à la fois de son enracinement dans un monde et une culture ouvriers au revenu modeste et de sa reconnaissance pour le soutien reçu par ses parents. En effet, ce projet parental généreux, les visées sur elle de ses deux parents lui ont permis d'affirmer toutes ses possibilités. C'est sur ce socle et sur les bases de son expérience de travail dans le monde des communications et de ses engagements pour des causes sociales que, plus explicitement, elle entre dans l'action politique, au sens large du terme. Elle s'engage entre autres, dans le monde de la gestion pour l'innovation, avec la *Fondation du maire de Montréal pour la jeunesse*, fondation destinée à aider des jeunes entrepreneurs et créateurs. Elle mettra un soin particulier à soutenir des projets de créations artistiques, en lien avec toute son expérience antérieure. Ce travail de dirigeante sert de pont vers des engagements plus marqués dans le monde politique. Elle agira comme responsable au Conseil de la famille et de l'enfance et s'engage ensuite comme députée et ministre, avec la création d'un Ministère pour les Aînés. La question sociale des aînés demeure la source d'un engagement toujours actuel au sortir de son rôle politique. Il est intéressant de noter que son élection comme députée est dans le comté de son enfance, Saint-Henri-Sainte-Anne : de Saint-Henri à Saint-Henri, témoignage d'une fidélité à ses origines en même temps que signe de transformation possible.

Ces engagements ne se limitent pas à occuper des postes de direction, de députée ou de ministre. Nous retrouvons ce souci *politique* d'agir, tout au long de la carrière de l'auteure, pour sensibiliser, mobiliser, soutenir, en tant que communicatrice, chercheure, parent, soucieuse de la promotion de diverses causes sociales. De sa place, elle fréquente personnages importants, grands décideurs, personnalités connues pour les amener à s'impliquer, à soutenir de près ou de loin ces diverses causes. Ce rôle de médiation, elle le joue avec cœur et conviction, de façon toujours personnalisée.

C'est ainsi, dans une posture d'engagement humaniste critique, qu'elle est le plus à même de rendre compte des limites et insuffisances du monde politique, comme du monde artistique ou des affaires. En effet, elle rappelle à plusieurs reprises l'importance de ne pas perdre contact avec les gens, avec les milieux populaires, les groupes marginalisés. Elle souligne la nécessité d'agir pour réduire les inégalités et contrer l'exclusion, tout en favorisant la créativité et l'initiative. C'est une façon positive de dénoncer les attitudes, politiques, actions qui ne respectent pas ces dimensions. Autant de valeurs qui jalonnent le récit de l'auteure.

Nous avons fortement apprécié ce récit autobiographique. Il nous parle certes d'une personne bien spécifique, Marguerite Blais, son évolution, sa carrière, ses « coups de cœur » et cela dans un style proche du vécu. Se raconter est certes une aventure. « Faire » son histoire de vie en est toujours une ; cela permet de donner du sens à ce qui constitue autant d'éléments dispersés, discontinus : personnes, événements, réalisations (Ricœur, 1990). Cet effet d'auto-organisation, pour l'auteur du récit, peut tomber dans le piège d'un arrangement linéaire, lisse, trop « organisé ». Dans le cas présent, l'auteure, nous l'avons dit plus haut, garde au contraire le côté en partie éclaté de sa vie, illustrant la façon dont « sa » vie est un composite de bien d'autres vies, elles-mêmes parties prenantes, texture même de sa propre vie. Et cette ouverture, cette fragmentation partielle du récit facilite un véritable travail de lecture pour en compléter tout le sens pour soi. C'est aussi dans cette mesure que le récit de Marguerite Blais est plus qu'un simple témoignage individuel ; il devient, pour reprendre les propos de Philippe Lejeune, dans son *Pacte autobiographique* (1996/1975) sur les fonctions de l'autobiographie, une œuvre exemplaire pour beaucoup d'autres, dans la conduite d'une vie, dans un contexte sociétal donné.

Jacques Rhéaume Ph D
Professeur émérite, UQÀM.

Références

Lejeune, Ph. (1975) *Le Pacte autobiographique*, Paris, Éditions du Seuil, Points 326

Ricœur, Paul (1990) *Soi-même comme un autre*. Paris : Éditions du Seuil.

Témoignage

Certaines rencontres sont déterminantes et vous marquent pour le reste de la vie. L'émission *Marguerite et Compagnie* fut pour moi une ouverture sur le métier qui m'attirait. J'avais bien été admise en droit et je rêvais de faire de grandes études, mais mon cœur était happé par la télévision. C'est ce que j'aimais par-dessus tout.

Quand j'ai rencontré Marguerite, elle était déjà une très grande vedette. Elle avait animé le fameux *Gala Artis* et tenait la barre de son émission télévisée avec brio. Ainsi, lorsqu'André Barro, le réalisateur de l'émission *Marguerite et compagnie*, m'a proposé de préparer des chroniques alors que j'étais très jeune et sans beaucoup d'expérience, j'ai dû me pincer. D'un coup, j'avais le bonheur de côtoyer cette femme aussi célèbre. Je me suis engagée à fond. Je voulais tellement apprendre. Je travaillais déjà à Radio-Canada avec Élizabeth Paradis et Yves Blouin à l'émission *Vu de la terrasse*, à TQS avec Claire Caron pour l'émission culturelle *Premières* et aussi avec Roch Voisine sur *Top Jeunesse*, alors qu'il n'avait pas encore écrit *Hélène*. Toutefois, ces excellents animateurs, avec qui j'avais beaucoup de plaisir à travailler n'avaient pas, à l'époque, le statut de Marguerite. Il fallait que je sois un peu caméléon pour naviguer entre ces différents univers.

J'étais plus habituée à faire des reportages à l'extérieur qu'à présenter mes chroniques sur un plateau. J'étais capable de les préparer bien sûr, mais je n'avais aucune expérience de l'animation en studio. Aussi, avoir le privilège de travailler avec Marguerite représentait pour moi une chance incroyable d'apprendre le métier à ses côtés.

Malgré son statut de vedette consacrée, Marguerite me prit sous son aile avec beaucoup de bienveillance et de simplicité. J'étais très impressionnée. Mon rôle était de proposer des chroniques un peu folles, histoire de « dépoussiérer » légèrement le contenu par trop classique d'une émission de services. Marguerite emboîtait le pas avec enthousiasme. Elle ne refusait jamais une idée, même si celle-ci pouvait sembler complètement loufoque. Elle aimait laisser le cheval débridé. Imaginez que j'ai fait entrer un taureau mécanique sur le plateau… Du jamais vu à l'époque. Je faisais des chroniques du Festival Western de St-Tite, ce qui sortait également de l'ordinaire. Je crois qu'elle aimait le côté fou que j'amenais. Mon genre d'inconscience la séduisait. Cela mettait un peu de piment dans le quotidien, tout en suscitant des réactions du public. Nous étions stimulées à renouveler l'expérience. Elle voulait m'impliquer dans des tas de projets.

Marguerite aimait le contact avec les jeunes. Ce qui m'a le plus frappée était sa capacité à m'écouter et à me respecter. Elle m'accordait autant d'importance que si j'avais eu vingt ans d'expérience. On peut dire qu'elle était d'une grande générosité. Elle m'accueillait chez elle, me présentait son mari, ses enfants. J'admirais sa personnalité, son expérience.

Sans le savoir, Marguerite me fit réaliser à quel point le métier d'animatrice pouvait être fragile. Du jour au lendemain, des vedettes sont remerciées sans raison apparente, si ce n'est de la subjectivité qui fait que des producteurs et des diffuseurs, au gré des modes, veulent du changement : sous les feux de la rampe un jour, ignorées le lendemain, sans ressources. Cela m'avait beaucoup chagrinée de constater à quel point une carrière d'animatrice pouvait basculer dans l'oubli le plus total. Je me suis aussi imaginé que si j'avais le cancer ou une maladie grave, je n'aurais pas l'énergie de performer en ondes et qu'il me faudrait trouver une façon de pouvoir travailler derrière les caméras. À l'aube de la trentaine, j'ai donc décidé de fonder ma maison de production. Cela ne se faisait pas à l'époque. Comme je me sentais en insécurité dans ce métier, je me garantissais ainsi une certaine autonomie et l'assurance de pouvoir rester en piste.

Marguerite est une très belle femme. Elle est coquette, certes ; mais ce qui frappe le plus, c'est sa personnalité éclectique, voire un peu anticonformiste. Elle sait user de son charme raffiné pour bien traduire sa pensée. C'est tout à fait fascinant. Femme de cœur, je peux vous assurer qu'elle est encore plus chaleureuse que l'image sympathique qui se dégage naturellement d'elle.

Pour moi, cette femme peut tout faire et tout être. Pour preuve, son parcours assez atypique qui l'a menée de la danse à claquettes au siège ministériel. Attachée à ses valeurs, elle ne craint pas de se mettre en danger pour défendre ses convictions. C'est ce qu'on appelle le courage.

Chère Marguerite, je t'admire et je sais que tu n'as pas dit ton dernier mot en politique ou dans le monde des communications. D'ailleurs, je te souhaite une carrière intemporelle, comme l'est la marguerite blanche, ma fleur préférée.

Que ton parcours à venir se décline comme le dernier pétale de la fleur qu'on effeuille… passionnément, à la folie.

Julie Snyder
(Photo: Jean-Claude Lussier)

Julie Snyder

De cœur et de tendresse

« Prenons un instant pour prendre conscience
qu'il n'y a que trois façons de modifier
une trajectoire de vie,
pour le meilleur ou pour le pire :
la crise, la chance et le choix »

Mylène Gilbert-Dumas,
Escapade sans retour de Sophie Parent (VLB).

Les circonstances de la vie me transportent aujourd'hui dans un nouvel univers. Ce recueil inachevé, écrit sous forme de récits, met en lumière à la fois des personnes qui ont marqué ma trajectoire de vie et la manière dont je me perçois. Ces textes ont tous été écrits entre le mois de juillet 2015 et le 31 décembre 2015. Ils se situent dans cette dimension de ma vie.

Je vous convie à la lecture d'histoires singulières, et vous invite à savourer cette phrase qui symbolise bien ma pensée :

"Mama always said life is like a box of chocolates. You never know what you're gonna get"

Forrest Gump (film1974) interprété par Tom Hanks
Réalisation : Robert Zemeckis

RÉCITS

Jean-Guy et Marguerite à Venise, le 25 août 2014

Proche de cœur

« *On reconnaît le bonheur*
au bruit qu'il fait quand il s'en va »

Jacques Prévert

Ce 26 août 2014, je croquais Jean-Guy sous toutes les palettes de couleurs de laine de mon tricot. Une maille à l'endroit, une maille à l'envers. J'avais l'intuition que cette veste me réchaufferait les soirs d'hiver. Je me sentais habile avec le cliquetis de mon iPhone captant de rapides photos sous le doux soleil vénitien ; je sentais que le temps pressait car un pressentiment montait en moi depuis le début de l'été. Je ne sais trop comment j'avais pu y parvenir, mais j'avais pris plus de temps de qualité, afin d'être davantage présente à la maison.

Nous étions rayonnants de bonheur, assis sur une terrasse tout près du Rialto. Nous venions de faire une escapade au Marché de l'Erbaria afin d'admirer le rouge des tomates et les fleurs des zucchinis. Nous contemplions les gondoles et les touristes aux pieds immergés dans l'eau, prêts pour le balancement de l'embarcation, à bord de ce symbole qu'est le Pont des Soupirs, faisant virevolter les cœurs frileux et les âmes des condamnés. Jean-Guy arborait son plus beau sourire, son bel étendard, comme s'il le hissait à la Pointe de la Douane pour l'éternité.

Trois semaines plus tôt, j'avais manigancé une douce folie. Une semaine de rêve à Venise – notre ville fétiche – et loué un appartement doté d'un jardin surélevé, situé à cinq minutes de la Place Saint-Marc. Nous nous sentions mieux à l'intérieur des quartiers encore habités par des Vénitiens dialoguant dans une langue néolatine, unique en sonorités. D'ailleurs, ils se font de plus en plus rares à pouvoir soutenir, financièrement le rythme effréné de la vie à l'écart du continent et à subir ces envahisseurs, les adorateurs des canaux, pilotis et autres grandeurs de la Sérénissime.

La peau diaphane du visage de Jean-Guy se profilait parfois au loin, comme si Marco Polo partait à la recherche de l'étoile guidant le mage vers son destin. Nous nous sommes beaucoup regardés et peu parlé. Nous n'avions pas besoin de mots pour dire je t'aime. Les yeux étaient garants de notre langage universel. Nos mains tenaient métaphoriquement la baguette du chef d'orchestre dirigeant *La Traviata* de Verdi à La Fenice. Tout comme Violetta, nous savions que nous allions partir pour ne plus revenir. Les eaux du Grand Canal emporteraient nos souvenirs contenus dans une valise nostalgique, remplie de mille et un bonheurs et autant de peines, certains accrochés à des pieux formant cette forêt importée des Alpes et des Balkans. Ce doux vent de la lagune, ces plantes odorantes, l'Orto[1], qui se marie si bien avec les coquillages et autres délices de la mer, envoûtaient nos sens. Que dire de plus ? Puis, nous sommes entrés à la Ca' del Sol, sur la Fondamenta de l'Osmarin, un atelier byzantin,

1. Orto : vin italien.

gothique et Renaissance, et nous nous sommes procurés une canne de carnaval. Jean-Guy avait besoin de se donner une contenance pour monter et descendre les innombrables marches en accordéon, complices de la beauté des promeneurs amoureux. Nous étions semblables à deux comédiens n'osant se dire la vérité. Au musée Peggy Guggenheim, la tête de Jean-Guy se mit à tourner, telle la danse giratoire sacrée des derviches. Nous sommes partis par un soir de pluie en motoscafo[2], pour ne plus revenir…

Arrivés au pays, c'est en fauteuil roulant que nous avons franchi le poste de douanes. Ce fut le début d'un autre voyage ; celui du bout du monde.

Le docteur David Lussier, gériatre et spécialiste de la douleur à l'Institut universitaire de gériatrie de Montréal, nous a accueillis prestement, avec diligence et douceur. L'investigation liée aux craintes et symptômes inconnus débutait. Des médecins dévoués comme David Lussier, il en existe au Québec. Tenus par leur serment d'Hippocrate, ils ont choisi cette profession dans le but de sauver le plus de vies possible. C'est parfois les épaules voûtées, quelquefois en charpie, qu'ils retournent dans leur foyer, impuissants à pouvoir guérir.

Au cours de la fin de semaine, nous sommes rentrés comme deux tourtereaux dans notre petite maison bleue Tunisie,

2. Motoscafo : bateau-taxi de Venise.

peinte aux couleurs de la Grèce et du Maghreb, en l'honneur de Chiraz que nous avons accueillie à la maison en 1989 alors qu'elle était étudiante à HEC (école des Hautes Études Commerciales) et gardait nos enfants. Elle est rapidement devenue notre fille.

De soudains spasmes s'invitaient à répétition, puis se développaient en convulsions pour devenir de plus en plus intenses et balayer l'idée même du doux soleil de septembre. Pour la première fois, je compris la réalité paradoxale de ces camions jaunes et parfois stridents, si rebutants par l'angoisse qu'ils suscitent et réconfortants à la fois par la régularité de leur vitesse sur les routes. À l'urgence, je tenais Jean-Guy par la main, témoin d'une crise d'épilepsie qui devait le projeter dans une perte de soi, dans un au-delà. Cette expérience m'affola, me désorienta, me déstabilisa. L'examen et la lecture du scanneur ne mentait pas : c'était une tumeur. Un glioblastome ou astrocytome de grade 4, une tumeur dite primitive, la plus fréquente et la plus agressive au cerveau. Incurable et fatale. Le taux de survie des personnes atteintes est très faible. Quoique des traitements palliatifs existent, tels que la radiothérapie, la chimiothérapie et la chirurgie, celle de Jean-Guy était à un stade très avancé qui ne s'opérait pas. « Pourquoi moi ? » me répétera-t-il en rafale, à l'instar d'un mantra murmuré par un yogi.

Accepter la fatalité, cette redoutable fée des glaces

Depuis Saint-Jérôme, nous fûmes transférés, deux semaines plus tard, au CHUM[3] Notre-Dame. Les montagnes russes de ce voyage au bout de la vie étaient pénibles à intégrer dans le quotidien de deux battants oubliant le temps qui passe ; le souffle se faisait de plus en plus court et crescendo, pour atteindre le sommet du Kilimandjaro. Le docteur Jean-Paul Bahary, radio-oncologue, devint rapidement un sherpa indispensable. Il s'occupait tout autant de mon compagnon que de son ombre. Il savait me réconforter, me rassurer, me dire la vérité et me montrer le chemin de l'acceptation de la fatalité. Cette redoutable fée des glaces qui fige à tout jamais l'horloge biologique de celles et ceux, partis pour ce long périple sur le sentier de la destinée.

Les traitements quotidiens en radiothérapie et chimiothérapie nous amenèrent à vivre, durant six semaines, à la Fondation québécoise du cancer. Les heures des traitements variaient d'un jour à l'autre. Comme nous habitions en banlieue et que la circulation nous forçait à avancer l'heure, comme les montres et les horloges au printemps pour être à temps aux rendez-vous, nous avons partagé une chambre. En tant que proche aidante, ma présence était appropriée. C'est à l'aide d'une marchette que nous traversions la rue de la Fondation vers l'hôpital, le vent en poupe, afin d'arriver à destination le plus rapidement possible, à la porte menant vers le 5e sous-sol. Les technologues et autres professionnels

---

3. CHUM : Centre hospitalier de l'Université de Montréal.

de la santé étaient tous, et sans exception, d'une affabilité faisant oublier ce lieu commun, mêlant pauvres et riches, jeunes et vieux, sans distinction de classes sociales. Nous étions tous égaux face à l'adversité. Nos regards se croisaient sans stigmates et nous formions un même et unique agrégat. Sans dire un mot, nous savions que certains s'en sortiraient mieux que d'autres et emprunteraient la voie du retour d'outre-tombe.

Trente traitements, trente jours à s'entrecroiser sans juger, des êtres humains qui ne veulent que vivre, survivre et s'en sortir. Cette période fut intense et déconcertante ; telle la révélation du 5e sous-sol : celle où les jaquettes bleues virevoltent d'un présentoir à un panier, celle où les masques sont moulés pour un unique destinataire, comme celui d'un escrimeur. Toutes les fois que Jean-Guy entrait dans une salle de traitement, je savais que l'épée de Damoclès était suspendue à son ciel. Mais il ressortait heureux, comme un mousquetaire d'Alexandre Dumas prêt pour un autre combat.

Voyage gastronomique

Une idée farfelue – comme une flèche en forme de plume – traversa ma pensée. Celle d'organiser un voyage gastronomique autour du monde. Je pris un soin précieux à faire des recherches et à dénicher de petits restaurants montréalais qui avaient l'heur de plaire à l'ange de ma vie. Turcs, vietnamiens, thaïlandais, espagnols, algériens, marocains, français, grecs, indiens, etc. Ces arrêts d'arômes et de saveurs nous envoûtaient. Le vin nous grisait.

Une autonomie qui s'étiole

De la canne de carnaval de Venise avec son pommeau, nous sommes passés à la marchette plus sécuritaire, puis au déambulateur pour les personnes en situation de léger handicap souhaitant s'asseoir sur le petit banc, pour une courte pause. Entrer et sortir des voitures taxis avec une aide technique et un corps ne répondant que très lentement était devenu complexe. Une petite corvée pour la personne autonome, jusqu'à hier. Parlons-en de cette autonomie qui s'étiole, semblable à celle des personnes âgées ou handicapées, de cette pudeur impressionniste quasi délavée. L'humain, lorsqu'il perd cette discrétion ou cette intimité perd aussi sa dignité.

Des couloirs du CHUM aux marches en palier de notre maison bleue, puis de cette mutation à l'unité de soins et d'assistance du Groupe Maurice où je poussais le fauteuil roulant jusqu'à la salle à manger, je sentais le temps me bousculer. Je dormais comme si j'étais l'éclairagiste d'une vaste mise en scène et je guettais mon soliste. J'étais à l'affût de ses moindres respirations, de ses mouvements, de ses désirs pour assouvir ses besoins naturels, marcher lentement avec lui jusqu'à la salle d'eau. Je ne voulais pas qu'il tombe. Nous l'avons soulevé plusieurs fois à la suite d'une chute lors d'une crise d'épilepsie. Je ne le voulais pas en pièces détachées.

J'étais anxieuse. Pourtant Le Temodal – médicament bien connu agissant contre les tumeurs cérébrales – était là et administré régulièrement. Il se prenait sous forme de capsules sur lesquelles apparaissait un dessin me faisant penser à une guêpe. Dès lors, dans ma tête, j'assimilai ce semblant de petit insecte, non pas au médicament mais au mal qui rongeait Jean-Guy.

Étais-je une proche aidante ? Moi qui le lavais et le bichonnais le plus souvent possible ?... jusqu'au jour où la Société de soins palliatifs à domicile du Grand Montréal me proposa un magnifique coup de pouce, moi qui adorais lui acheter des vins et des fromages, des roses et des orchidées ? Moi qui aimais repasser ses boubous africains, l'habiller, le parfumer et le promener dans le magnifique complexe Maurice, en poussant son fauteuil ? Les résidents étaient tous sensibles à notre situation. Ils s'arrêtaient à notre table, nous parlaient, et la direction savait pertinemment qu'un jour, il nous faudrait savoir partir. Il aurait besoin de plus de soins, d'un plus grand nombre de préposés et d'autres services palliatifs. Nous le savions tous, mais nous repoussions l'échéance jusqu'à la frontière de l'ultime moment. Je remercie Luc Maurice, le président du Groupe Maurice pour son ouverture et sa gentillesse à nous accueillir ; ainsi que la Société de soins palliatifs à domicile du Grand Montréal, comme son personnel médical qui nous a accompagnés, afin que nous puissions rester à la résidence de Lachine du Groupe Maurice, le plus longtemps possible.

Non, je n'étais pas une proche aidante. J'étais et je suis une proche de cœur. Je ne me suis jamais sentie vraiment envahie par sa maladie. Je savais pourtant que ses jours étaient comptés. Entre quatre et six mois d'après le neurochirurgien, le docteur Robert Moumdjian. Il nous avait expliqué que nous devions vivre ensemble, profiter de ces instants avec nos enfants et petits-enfants. Jean-Guy espérait tellement combattre le cancer, tel un boxeur dans l'arène avant un round décisif. Mais l'adversaire a remporté l'ultime bataille, par KO.

Un cadeau pour Noël

En guise de cadeau pour le 25 décembre, j'avais secrètement demandé au Père Noël de m'offrir Jean-Guy pour quelque temps encore. Il m'avait exaucé. Le mois de décembre s'était déroulé au CHUM. Ses sœurs et frères ainsi que nos enfants se relayaient. Je m'installais près de la fenêtre au bout du corridor et nous dégustions ensemble un café. Le docteur Karl Bélanger prit le temps de s'asseoir et, comme le messager du Père Noël, affirma que nous passerions la période des fêtes dans notre maison bleue.

Nous sommes rentrés. J'étais joyeuse comme une adolescente qui vient de se faire inviter pour une danse. J'avais concocté un souper digne des rois. Moi qui n'avais pas réellement cuisiné depuis 35 ans, je savais qu'il guiderait mes doigts sur le piano de la cuisine, saurait me dire comment tailler la carapace des queues de homard, comment soulever délicatement la chair de ce délice des mers des Îles-de-la-Madeleine et de la Gaspésie, comment assaisonner, égrainer avec précision la chapelure sur ce crustacé et le déposer au four pour le dorer, ne serait-ce que l'instant d'une pensée.

Je savais qu'il insufflerait à ma raideur culinaire une souplesse digne de la pianiste que je fus jadis. En l'espace d'un soir, j'étais couverte de l'étoffe d'un chef. À l'instar des falbalas de cendrillon qui perdra sa pantoufle de vair en quittant les lieux, j'étais tatouée par le complexe de l'imposteur. Mon talent dans la cuisine était provisoire et impromptu. Je le savais mais la volonté de séduire était tellement plus grande que mes capacités pour la préparation du couscous et de la paëlla, que je réussis un coup de maître, illuminant cette soirée où le feu crépitait dans la cheminée et attisait notre joie. Ce bal du 25 décembre restera longtemps gravé dans ma mémoire : les pirouettes des enfants et petits-enfants, les cadeaux déballés de leur papier aux couleurs vives, le dernier des Noëls nous réunissant sous le grand chapiteau de la vie…

Le don de soi

Combien de fois avons-nous revisité le CHUM? L'urgence? Les chambres de l'unité de l'hématologie-oncologie? Personnel dévoué, professionnels affairés, infirmières et infirmiers aux petits soins, la vie dans ce milieu hospitalier est en friche. C'est une brousse où les mains et les poings se lient pour offrir à la personne hébergée ce qu'on peut encore lui procurer de meilleur : le don de soi. Nous avons reçu tout ce que nous pouvions accueillir. Malgré les désespérances de certains jours, la tendresse offerte par de nombreuses personnes méconnues réussissait à se faufiler dans les traces laissées par la faucheuse de vie.

La dernière demeure

Après les fêtes, le Père Noël est retourné dans son atelier et a rappelé son lutin. Nous avons quitté la maison bleue en camion jaune et sommes, une fois de plus, retournés au CHUM. On commençait à savoir où se trouvait notre nouvelle adresse civique et à délaisser la maison bleue. Il ne manquait plus que le code postal. Nous avons tout de même dû quitter ce centre hospitalier malgré le fait que le docteur Karl Bélanger ait réussi à dénicher, à l'unité de soins palliatifs, une place avec un lit, où je pouvais dormir.

Une expression qui fait mal à entendre et parfois à comprendre, bien que déjà connue au XIXe siècle en Grande-Bretagne : on sonnait le glas. Lorsque nous sommes repartis de cet immeuble vétuste, c'était pour nous rendre dans notre dernière résidence : La *Maison de soins palliatifs de La Rivière-du-Nord*. J'avais pris les devants. Anxieuse, j'attendais Jean-Guy dans le hall d'entrée de cette maison qui respirait la quiétude et l'apaisement, après une dure bataille contre la montre. Je tenais à être la première à l'accueillir afin qu'il sache que jamais je ne l'abandonnerais. Sur une civière, son entrée fut majestueuse, voire magistrale. Ma belle-sœur Renée avait insisté pour visiter cette maison. Elle souhaitait ardemment qu'il termine ses jours dans cet espace de paix et de rapport entier à la vie et à la mort. Un symbole qui donne tout son sens à celui qui naît et celui qui meurt.

La chambre numéro 7, éclairée par ce matin frisquet d'un hiver qui refusait de céder sa place au printemps, réchauffait le lit douillet. Une armada de bénévoles et de préposés fit une haie d'honneur afin de lui signifier qu'il serait accompagné vers sa destination finale, comme un roi. Je protégeais jalousement mon ange. Celui qui m'avait réellement aimée en m'insufflant un sentiment de sécurité et une réelle bonté. Je l'embrassais, le caressais, lui disais des mots d'amour et me battais pour que ses désirs soient accomplis. Je vivais dans cette maison. J'étais à la fois amante, femme, bénévole, infirmière auxiliaire : férocement protectrice. Je formais un tout. J'aimais cette maison de soins de fin de vie qui sentait bon, parsemée de compassion. Couchée dans son lit, c'est finalement dans mes bras ou presque – puisqu'aux petites heures du matin je sautai par-dessus la ridelle, un pied par terre et l'autre dans les airs afin de le laisser plus confortablement couché – que le dernier chant du cygne se fit entendre. J'eus l'immense privilège, à ce moment précis, de ne l'avoir que pour moi. Égoïstement. Il fut lavé, préparé, habillé dans sa djellaba blanche et neuve, celle qu'il souhaitait porter pour son ultime repos. Puis, transporté avec délicatesse dans le salon dédié aux familles, je pus lui parler toute la nuit, comme à Venise, sans mots, uniquement par le regard et les liens de l'esprit.

Voyage spirituel

Vous me demandez si je fus une proche aidante ? Non, je fus et suis une proche de cœur. Bien que la ville du palais des Doges fût un refuge muséal et que ce parcours sur les canaux un rêve magnifique, je vous rassure. Le plus beau voyage de ma vie fut le dernier : ce périple de sept mois, me menant avec mon compagnon de vie jusqu'au 27 mars 2015 ; cet homme qui, dans les joies comme les tourmentes, a su m'aimer avec mes complexités et mes déchirures…

Ce voyage spirituel au bout de soi, au bout de l'autre, d'une rare densité, ponctué d'espoir et de détresse fut mon chemin de Compostelle. J'ai appris ce que l'amour voulait dire. Comment transcender l'univers pour atteindre un pays où les mappemondes n'existent pas. Aimer sans limites, sans jugements, au-delà du corps qui peu à peu se transforme comme une peau de chagrin. Un voyage qui nous apprend à aimer jusqu'à vouloir donner sa vie pour atténuer les souffrances de l'Autre. Vous me demandez si j'ai été une proche aidante ? Non. Je suis une proche de cœur.

BELLE

« Belle, c'est un mot qu'on dirait inventé pour elle.
Quand elle danse et qu'elle met son corps à jour,
tel un oiseau qui étend ses ailes pour s'envoler,
alors je sens l'enfer s'ouvrir sous mes pieds »

Paroles Luc Plamondon, musique Richard Cocciante

Belle et Marguerite

Jean-Guy et Marguerite avec Belle

Elle est née le 3 décembre 2000 à Saint-Ludger-de-Milot dans la MRC[4] du Saguenay-Lac-Saint-Jean. À cette époque, Vanille, notre petite chienne, se faisait vieille. Nous l'aimions énormément. Elle était la chienne des enfants. Durant la période du temps des Fêtes, notre fille Cécilia eut de la peine. L'anticipation de la mort inquiète toujours. Je lui promis alors d'aller rapidement chercher un autre petit caniche. En retrouvant les papiers de Vanille attestant de ses origines ainsi que du nom et des coordonnées de l'éleveuse, à ma grande surprise, je compris que nous aurions une très longue route à parcourir pour aller adopter une autre femelle. Vanille avait été choisie de manière affectueuse dans une animalerie. Nous souhaitions un caniche issu de la même lignée.

Nous étions au début du mois de janvier 2001. Prenant notre courage à deux mains, Jean-Guy et moi partîmes en quête de ce trésor. Nous choisîmes de nous attarder en cours de route et de dormir dans une auberge, afin de briser le rythme du voyage. Il y avait beaucoup de neige et des motoneigistes séjournaient dans les parages pour la nuit. Le

---

4. MRC : municipalité régionale de comté. Une MRC regroupe toutes les municipalités d'un même territoire d'appartenance, formant une entité administrative.

matin venu, ils reprenaient leur route sur les sentiers ouverts à ces véhicules souvent récréatifs mais aussi utilitaires, en particulier dans le nord du Québec et au Nunavik. Arrivés à destination – un coin de pays merveilleux mais en hiver, éloigné de tout – nous entrâmes dans une maison qui me faisait penser au film de Stephen Herek (1996) « Les 101 Dalmatiens ». Une armada de chiots et de chiens campait dans la cuisine. Des frisés noirs, bruns, caramels, blancs ; des petits, moyens, minuscules et des caniches royaux. C'était hilarant et en même temps affolant. Un tourbillon tel un vent virevoltait rapidement dans ma tête. Je me sentais telle une moufette prise dans une cage. Le monde s'était inversé. Je me retrouvais dans un univers contrôlé par le langage des chiens, où ma place n'était tolérée que l'instant d'une courte visite. Aucun endroit où nous asseoir et respirer. Tout l'espace était dédié aux chiens de la propriétaire, dont l'apparence surprenait avec mille et un bracelets aux bras et une sorte de turban pointu sur le crâne, à l'instar de la fée Carabosse dans la Belle au bois dormant. Elle semblait épuisée. Vêtue d'une jaquette et robe de chambre entrouverte sur ses longues jambes, elle ressemblait à une fée tentant de reprendre ses forces magiques après un dur labeur. Durant la nuit, elle avait assisté une chienne à la mise-bas de sa portée. Une réelle sage-femme pour caniches. Telle était l'identité qu'elle s'octroyait. Elle avait atteint son but et un titre : « la fée des caniches du Saguenay-Lac-Saint-Jean ». Elle ne vivait, semble-t-il, que pour ses animaux et à travers eux. Après notre longue route, je voulus aller à la salle d'eau mais elle me retint un moment. Je compris presque immédiatement la raison de cette hésitation : la salle de bains était, comme le reste, un espace réservé à ses petits où shampoings, peignes et serviettes détrônaient les parfums et cosmétiques de cette mystérieuse femme. Dans le salon, s'égayaient autant de chiens que dans la cuisine. Cette vision irréelle me donna l'impression que le soir venu, toute cette petite meute prenait place sur le divan et regardait « Les 101 Dalmatiens ».

En cette journée de janvier 2001, il faisait extrêmement froid et la neige à l'extérieur était dure. L'hiver était éprouvant. Notre fée Carabosse avait délibérément choisi de garder douillettement tout son petit monde dans sa maison afin de les protéger des intempéries de cette saison très québécoise. Elle prit néanmoins le temps de laver soigneusement celle que nous avions décidé d'adopter. Elle lui parla tendrement à l'oreille en lui soufflant que si nous n'étions pas gentils, Belle n'avait qu'à lui téléphoner. L'espace d'un instant, je me retrouvais au pays de mon enfance dans l'univers des contes de Grimm. J'étais en pleine exaltation. Nous avions en effet décidé, en cours de route, qu'elle se prénommerait Belle, en hommage à la magnifique chanson de l'auteur Luc Plamondon et du compositeur Richard Cocciante. Cette mélodie était si populaire au début des années 2000 que je la fredonnais sans cesse. Une fois toilettée et prête pour le long voyage, je déposai Belle dans les mains de Jean-Guy. Une petite boule de laine blanche et pure scintillait comme un diamant. Un lien affectif immédiat, entre les deux, se noua. Il la regardait comme si elle était la prunelle de ses yeux : la tendresse qui explose pour une toute petite créature, comme un enfant qui naît et qui vous rend vulnérable et responsable, tout au long de votre vie.

Nous reprîmes la route du chemin vers les Laurentides, au nord de Montréal. La petite chienne s'était blottie au creux de mes bras. Au bout de quelques heures, malgré son petit poids, elle était devenue un lourd trophée à porter. Je sentais mes muscles s'engourdir...

La première année de sa vie fut difficile. Je me souviens d'être sortie du lit quatre à cinq fois par nuit pour qu'elle puisse faire ses besoins. Nous étions propriétaires d'un condo dans la Petite Bourgogne. Elle voulait prendre l'air, beau temps, mauvais temps. Épuisée, je me sentais comme une jeune maman. Et tout doucement, au fil du temps, elle s'est adaptée. Je travaillais à cette époque à Québec, dès 2003, en tant que présidente du Conseil de la famille et de l'enfance – poste que j'occuperai jusqu'aux élections de 2007 où je me suis présentée dans le comté de ma naissance et lieu de résidence. Jean-Guy, lui, était devenu une figure plus significative dans la vie quotidienne de Belle, aussi s'est-elle vite collée à lui. C'était un sentiment étrange. Elle semblait avoir deux maîtres. Lorsque Jean-Guy quittait les lieux pour faire des courses, elle pleurait. Lorsque je partais de la maison, elle me guettait sur le seuil de la porte d'entrée. Avec les années – la politique et l'Assemblée nationale –, il devint évident que l'amour et l'affection que lui témoignait Jean-Guy prenaient le dessus. Elle s'identifiait davantage à lui. Cette petite chienne était au cœur des actions de notre maison.

Bien sûr, nous avions des enfants et des petits-enfants, mais il n'en demeure pas moins que les animaux de compagnie forment une cohorte particulière et à part entière, d'échanges de câlins, qui ne peuvent toutefois pas se comparer à l'amour que nous portons à notre petite famille. Nous étions allés chercher Belle pour Cécilia, devenue depuis une superbe jeune femme. Lorsqu'elle partit pour Toronto à l'été 2001, afin de retrouver une amie pour apprendre l'anglais, elle perdit réellement Belle. Nous nous étions beaucoup attachés à cette boule blanche. J'avoue bien égoïstement que nous la lui prîmes! À son retour, son copain – aujourd'hui mari et père de leurs magnifiques enfants – alla, lui aussi à Saint-Ludger-de-Milot, pour offrir à Cécilia une magnifique petite chienne, semblable, de la même lignée mais d'un an de moins que la nôtre. Jean-Guy travaillait à ce moment depuis la maison, en tant que programmeur musical pour Boom FM.

Belle vieillissait, Jean-Guy aussi. Le temps passait comme le roulis d'un chaland défilant doucement sur le Saint-Laurent. Nous avions emménagé à plein temps dans les Laurentides. La maison de campagne se transformait en un jardin, telle une serre durant quatre saisons. Jean-Guy ne supportait plus le bruit du centre-ville de Montréal et de la rue Notre-Dame dans le comté de Saint-Henri-Sainte-Anne. Avec le recul, je me dis que sa tumeur au cerveau devait sans aucun doute s'infiltrer et commencer à faire des ravages sans se soucier du bonheur. Pourtant, il aimait tellement aller quotidiennement à pied jusqu'au marché Atwater et dévaliser les boutiques de fruits et légumes, fromages et arancinis, épices et autres délices. Il me rapportait un bouquet de glaïeuls ou une orchidée. J'aimais ce condo situé près de mon bureau de comté. Étant donné que je vivais souvent à Québec en session parlementaire, il m'était impossible de lui imposer quoi que ce soit, et encore moins Montréal comme lieu de résidence. Dans son bureau des Laurentides, Belle se couchait en boule sur le futon pendant que Jean-Guy faisait valser les touches noires de son clavier d'ordinateur. Il la sortait et l'habillait pour faire les courses. Le siège chauffant de l'automobile durant l'hiver prenait soin de ses rhumatismes et l'été, elle se laissait promener comme une lady dans la petite Jaguar blanche 1986 que Jean-Guy affectionnait. L'immense préoccupation de son maître tournait en boucle autour de son éventuel départ. Comment réussirait-il à gérer ses émotions et son éventuel ennui dans ce cas ? Nous étions tous les deux sensibles à cette question. Inquiète, je me réveillais parfois la nuit pour la toucher. Je la souhaitais vivante. Si elle grognait après moi, j'étais heureuse et me sentais rassurée.

Puis, l'annonce de la maladie de Jean-Guy, en septembre 2014, fut un choc. Comme le tonnerre qui gronde par une nuit d'été chaude et torride. Belle se lovait près de lui et se laissait caresser. Rapidement dans cette épreuve de cœur et de corps, ma belle-sœur Renée dut prendre la relève et devint la gardienne de Belle durant de longs mois. Je devais me concentrer sur mon patient unique et préféré et cela prenait beaucoup de temps et demandait de nombreux trajets : entre les visites quotidiennes à l'hôpital et la Fondation québécoise du cancer où nous logions, nous reprenions Belle au passage, lors de nos retours à Saint-Hippolyte, les fins de semaine. Quand la maladie évolua, malgré quelques aménagements spécifiques liés aux circonstances et en dépit des services offerts par le CLSC[5], rester à la maison devenait impossible, notamment en raison des nombreuses marches à descendre et monter. Nous partîmes alors de la maison vers le CHUM et par la suite, vers une résidence.

Renée amenait fréquemment Belle à la maison du Groupe Maurice, pour quelques heures seulement, et la petite chienne se couchait dans le lit de Jean-Guy. Il était si heureux de la voir et de pouvoir la cajoler. Les aînés de la résidence aimaient aussi la dorloter. Certaines personnes, atteintes de la maladie d'Alzheimer ou autres maladies apparentées, adorent les petits animaux. La zoothérapie a un effet immédiat sur l'humeur de ces merveilleuses personnes qui ont oublié ce que d'autres ne possèderont jamais : la réelle mémoire !

À la *Maison de soins palliatifs de la Rivière-du-Nord*, Belle fut également la bienvenue. Même à l'étage des soins palliatifs du CHUM, où Jean-Guy séjourna deux jours, elle eut ses entrées pour une courte visite. Puis, je sentis que Belle prenait une sorte de distance ; ou était-ce le fruit de mon imagination ? Elle reniflait les médicaments, sa maladie et pressentait la mort. Elle avait tendance à s'éloigner de la tête vers le centre ou le pied du lit. Elle est venue embrasser Jean-Guy jusqu'au 17 mars 2015.

Par la suite, de retour à la maison, elle le cherchait partout. Si j'ouvrais la porte de sa garde-robe, on aurait dit qu'elle voulait enfiler ses pantalons et parcourir le monde avec des bottes de sept lieues pour le retrouver. Son odeur de vétiver

5. CLSC : centre local de services communautaires.

restée collée aux vêtements parfumait cet espace privé et moi-même, je me sentais envoûtée quand j'ouvrais les portes de cette caverne d'Ali Baba. Parfois, Belle entrait dans la douche lorsque les portes étaient grandes ouvertes – ce qu'elle n'avait jamais fait auparavant – probablement à la recherche d'indices. Souvent elle se blottissait sur son oreiller dans le lit et attendait qu'il revienne, telle une amoureuse abandonnée par l'homme de sa vie.

Si je vous raconte cette histoire, c'est parce qu'un souvenir récent m'est revenu en mémoire.

C'est durant l'été 2015 que j'écris ce texte. Je suis toujours en plein deuil. J'essaie de réorganiser ma vie, de me structurer. Je me sens disloquée. J'ai perdu le pivot de ma vie. Alors, faire le marché, réapprendre à cuisiner, à vivre seule, rénover certains coins de la maison, faire le ménage dans les affaires de mon mari, inviter des amis et leur préparer un petit plat… Tout cela me paraît très compliqué.

Belle dort de plus en plus souvent dans notre grand lit. Parfois je descends les quatorze marches menant à la cuisine pour me préparer un café, une tranche de pain grillé ou pour n'importe quoi d'autre. J'entends alors une toute petite voix, un gémissement, un son à peine audible. Je tends l'oreille et remonte les marches à la vitesse de l'éclair. Je la retrouve parfois debout, m'attendant, mais d'autres fois rien n'a bougé, pas même Belle ; mon imagination me joue sûrement des tours. Et ces épisodes se répètent tout au long de la journée.

Combien de fois ai-je agi ainsi avec Jean-Guy? J'avais presque déjà oublié…

Lui ne m'appelait pas s'il devait aller à la salle d'eau. Il se croyait invincible et encore apte à y aller seul. Réussir à sortir du lit, prendre sa marchette et se diriger à l'endroit désiré… Tout un sport! Alors, je grimpais les marches deux par deux, et je développais mes mollets comme les filles qui montent et descendent les côtes dans le Vieux-Québec! J'étais constamment en alerte. J'avais acquis un autre sens. Toutes les cellules de mon être étaient tendues et à l'écoute du moindre bruissement, comme le vent doux et timide dans les feuilles des arbres durant une chaude journée estivale. Mon corps était celui d'un échassier long et filiforme. Je dormais la nuit comme si le soleil s'invitait avec ses rayons chatoyants dans la chambre. Fermer les yeux et se laisser bercer était une redoutable illusion. J'étais en fait un soldat aux aguets. Je surveillais. Je lisais. Je pensais. J'aimais. J'avais oublié cette partie de ma réalité de « proche de cœur » que j'avais activée dans les pores de mon être et de mon âme pendant quelques mois. L'aider à descendre les quatorze marches et à les remonter avec sa canne à pommeau de Venise. Belle me faisait revivre cette partie de l'histoire avec un brin de différence, mais tellement similaire.

Belle fut malade cet été-là. Nous sommes allées chez la vétérinaire à quelques reprises. Je dus admettre que sa vie prendrait fin bientôt. Depuis le départ de Jean-Guy, elle n'est plus la même. Elle ne voit et n'entend pratiquement plus. Elle est craintive et a peur de tout. Elle ne veut plus marcher seule et sa démarche est hésitante. Ce n'est plus mon chien de garde! Je dois lui écraser ses croquettes avec un casse-noisette et lui découper de petites gâteries. Elle recommence à vouloir sortir la nuit pour ses besoins naturels. Je dois la prendre dans mes bras et la déposer sur la pelouse. Mais l'automne arrive... Je devrai me vêtir. Je constate que je suis aussi la « proche de cœur » de Belle. J'essaie de combler, dans sa vie, l'absence de Jean-Guy, son fidèle compagnon. Ma fille Cécilia l'a gardée chez elle à quelques reprises lorsque je devais m'absenter pour aller à Québec. J'étais inquiète alors car elle avait déjà deux chiens. Mais ce petit monde s'entend parfaitement; son petit caniche Chanel a vieilli lui aussi, tout comme Belle. Les deux ensembles dorment l'une contre l'autre, comme deux petites boules. Je sais que le jour viendra où la décision de la faire euthanasier s'imposera.

Mettre fin aux souffrances... aider à partir

L'euthanasie animale consiste à mettre fin aux souffrances, à abréger une agonie prolongée. Elle n'est pas si différente de celle appliquée aux humains dans certains pays où cette pratique est légale, lorsqu'une personne est atteinte d'une maladie incurable, sans espoir de guérison et que ses souffrances, physiques ou psychologiques, sont devenues intolérables.

Cette question ultrasensible appliquée aux humains – dans laquelle religions, éthiques, cultures et philosophies se contredisent et s'entrecroisent – ne sera jamais réglée. Ce discours est loin de faire l'unanimité. Bien que le Québec ait fait de grandes avancées politiques grâce à l'adoption du projet de loi 52 piloté par Véronique Hivon et travaillé de concert par tous les partis politiques (à l'occasion on arrive à faire avancer des enjeux de société sans partisannerie), certains députés sont toujours déchirés et certains restent inflexibles. Cette loi (loi 2) a été adoptée le 5 juin 2014 et sanctionnée le 10 juin 2014. Malgré cela, en août 2015, une polémique s'étendit aux trente et une maisons de soins palliatifs du Québec et plusieurs médecins prodiguant des soins palliatifs refusent encore d'administrer l'aide médicale à mourir, pourtant entrée en vigueur le 10 décembre 2015, en dépit des contestations judiciaires.

Lorsque cette question touche nos animaux domestiques, la réticence à l'euthanasie appliquée à leurs souffrances est différente. Depuis mon expérience aux soins palliatifs, j'ai beaucoup réfléchi sur l'acharnement en soins palliatifs notamment. Je regardais Jean-Guy qui n'en finissait plus de mourir; j'étais prête à partir à sa place. Je souffrais intensément. La douleur n'est pas que physique. Elle est fixée au cœur avec un clou bien enfoncé, sans marteau pour l'enlever. « On » ne pouvait ou « on » ne voulait pas abréger sa vie…

Le jour où Belle me quittera sera des plus difficiles, j'en conviens. Mais je n'accepterai pas de la voir souffrir – comme je n'accepte pas cette souffrance chez les humains très malades et/ou en fin de vie. Et lorsque sa dernière heure viendra, je saurai l'aimer encore davantage.

La question de *fin de vie* est toujours aussi complexe. Apprivoiser la mort n'est pas une idée relevant de la simplicité volontaire. J'ai, personnellement, l'impression d'avoir fait un voyage dans le pays des morts. D'une part, lorsque Jean-Guy est décédé dans mes bras; je suis alors passée de l'autre côté du miroir. Six mois plus tard, je ne suis toujours pas totalement revenue de ce pays différent du mien. Il m'est dorénavant difficile de vivre avec les vivants, mais je sais que ma place est ici auprès de mes enfants et petits-enfants, auprès de Belle aussi, mais pour combien de temps? Elle s'en va tout doucement. Je la sens frêle, fragile, et je le suis tout autant. Elle se colle au creux de mes bras et je l'embrasse, tout doucement. Comme pour Vanille, ma chienne précédente, je la tiendrai le jour où le vétérinaire devra lui administrer l'injection fatale. Oui, je l'aimerai assez pour ne pas la laisser souffrir. Je serai une fois de plus au pays des morts.[6]

Le défi de ceux qui restent… découvrir le meilleur de soi

Comment se fait-il que la vie soit ainsi? Perdre ce que l'on a apprivoisé? Se regarder dans le miroir et se sentir seule? Ressentir que l'on vieillit et se dire que si j'ai cette chance, c'est que je suis vivante? Si j'analyse mon cheminement en tournant légèrement la tête côté jardin, je constate que j'ai semé plus de cailloux sur mon parcours qu'il y en aura sur ma trajectoire à venir. Alors, mes petits morceaux de pain déposés à droite à gauche deviendront clairsemés. Je devrai

6. Belle s'est endormie le 6 janvier 2016.

m'attarder à ne faire que de belles et bonnes choses, comme un gâteau des anges, moelleux et savoureux. Savoir donner aux autres encore plus que par le passé. J'ai le sentiment que l'attente inhérente à ma vie professionnelle et sentimentale est moins vive ; pourtant le temps me pousse dans le dos et m'incite à m'accrocher à un élément déclencheur. Je ressens cette urgence de parcourir l'ultime chemin parsemé de petits pas japonais, en sautillant prestement de l'un à l'autre, pour découvrir le meilleur de moi-même. Quel est le sens de la vie ? N'est-il pas l'accomplissement de soi ? Comme un tableau dépeignant la quête spirituelle ? Qui fait en sorte que la recherche philosophique nous transporte dans un univers qui tient au réel ? C'est en donnant aux autres que l'on reçoit le plus. Les personnes aînées font beaucoup de bénévolat ; non pas parce qu'elles s'ennuient, mais parce qu'elles confectionnent un sens à leur vie et qu'elles se donnent aux autres. Voilà aussi l'ultime but de l'amour.

Je portais Belle au creux de mes bras[7]. Michel, un ami sincère, conduisait pendant que je la ramenais à la maison. Sa petite taille, sa beauté inchangée, sa finesse, ses petits baisers aux commissures de mes lèvres, tout y était. Elle revenait de chez Louise, un petit foulard jaune noué autour de son cou. Sa laine toute blanche sentait la poudre pour bébé, sa coupe était impeccable. Elle était aussi merveilleuse qu'au premier jour de notre rencontre. Elle s'est totalement abandonnée dans mes bras avec cette confiance qui caractérise celles et ceux qui savent qu'ils sont protégés. Je me suis revue à

7. 29 juillet 2015.

Saint-Ludger-de-Milot… Ce parcours qui s'échelonne sur presque quinze années voit ma vie défiler comme un film en 3D, comme un roman d'amour, comme une belle histoire à partager.

Je t'appelle maman

*« C'est dans tes yeux que j'ai vu
le plus beau livre de la vie. »*

Marcel Broquet
Laissez-moi vous raconter…
53 ans dans le monde du livre
Récit autobiographique,
Marcel Broquet – La nouvelle édition (p.171)

Marguerite Blais a deux ans

Marguerite Blais et son père Égide

Marguerite Blais et son père Égide

Remise de prix - cours de diction à
3 ans et demie - Pierrette Champoux et
Simone Champoux, professeures de diction

Spectacle de claquettes (2e de la gauche)
Marguerite a environ 7 ans

Marguerite et son frère Daniel
(environ 9 ans et 2 ans)

Marguerite offre des fleurs à sa
maman, enseignante de
danse à claquettes

Marguerite Blais, future pianiste de concert

$1,000 pour une petite fille de 13 ans

Marguerite Blais a remporté bien des trophées dans sa vie : des trophées de chant, des trophées de danse, des trophées de piano et pour finir (à moins que ce ne soit pour commencer vraiment) le grand prix des Jeunes Talents Catelli — lequel s'accompagnait d'un chèque de mille dollars. Tous les téléspectateurs du canal 10 ont pu la voir, l'autre dimanche, remporter son prix. Un exquis petit visage, une grande queue de cheval très blonde et des mains longues et fines... des mains de pianiste, quoi ! Que peut-on faire avec une telle somme lorsqu'on est une grande petite fille de treize ans ? "Je m'achèterai une bicyclette, a dit Marguerite, et je mettrai tout le reste à la banque. Plus tard, j'aurai besoin de cet argent pour poursuivre mes études de piano."

Au pied de l'arbre de Noël qui illumine le grand salon de la famille Blais, Marguerite a déposé ses cadeaux. Pour papa (M. Egide Blais, rédacteur sportif), un disque de Mario Lanza; pour maman, qui est professeur de danse, un disque de valses de Vienne et un disque de danses hawaïennes; pour son petit frère Daniel, cinq ans... encore un disque ! Des rondes enfantines, cette fois. Si Marguerite Blais ne rêvait pas de devenir pianiste de concert, elle serait professeur de mathématiques. C'est sa matière préférée à l'école.

Marguerite suit toutes les activités du centre récréatif de la Pointe-Saint-Charles. Elle nage, patine et voyage de temps à autre. Elle connaît déjà New York, Philadelphie et Québec. Plus tard, elle ira en Europe. En attendant, elle s'amuse encore avec sa poupée et est "commandant en chef" des majorettes de Pointe-Saint-Charles.

Et puis, si vous voulez des avis pertinents sur la boxe, adressez-vous à Marguerite. Elle s'y entend comme pas une. C'est son papa qui l'a initiée. Mais naturellement, ce qui la passionne davantage, c'est le piano ! Ses musiciens préférés ? Bach et Beethoven.

Un exquis petit visage, une grande queue de cheval très blonde et des mains longues et fines voici **Marguerite Blais**, future pianiste de concert.

Gagnante du concours *Les jeunes talents Catelli*
à *Télé Métropole* à 13 ans, pour sa prestation au piano

À Thiès, dans la région de Louga au Sénégal, 1994

Marguerite Blais porte
un enfant en Afrique

Marguerite et son frère Daniel

Wellington 2- 5975

Tel était notre numéro de téléphone. Un jour la dénomination de Wellington fut modifiée par Bell pour 932-5975. J'étais fascinée. C'était exactement la même sonnerie et le même numéro. Nous avons été propriétaires de la maison familiale pendant près de cinquante ans et nous avons toujours conservé le même numéro. De nos jours, on change constamment d'appareils téléphoniques, plus sophistiqués les uns que les autres ; on change aussi de numéro, ce qui est contraignant. Mon extraordinaire maman est décédée en 1993, et mon père en 2005. Il est parti sereinement dans ses rêves, étendu sur le divan du salon de notre maison familiale de la Pointe-Saint-Charles. Quant à maman, elle est décédée à l'hôpital Saint-Luc (CHUM) à l'âge de 68 ans, emportée par un douloureux cancer des os. À quelques jours de son ultime départ, elle est sortie quelques instants de son coma et m'a dit « je t'adore ». Alfreda Michaud était mon idole et toute ma sécurité affective. Je l'admirais totalement. Femme forte, elle était le pilier de la famille qu'elle faisait vivre. Elle avait suivi un cours en pédiatrie à la Crèche d'Youville pour devenir infirmière responsable de la pouponnière à l'Hôpital Saint-Joseph de Lachine et par la suite, exercer dans une résidence privée à Vaudreuil.

Durant cette période où elle exerçait en tant que puéricultrice, son regard croisa, dans une salle de danse, les yeux bleus accrocheurs de mon père revenant de la Seconde Guerre mondiale. Fabuleux danseur, très bel homme et séducteur, il l'invita sur le plancher de danse. Ils ne se quittèrent plus et se marièrent le 3 mai 1947 à la Cathédrale Marie-Reine-du-Monde à Montréal.

Née en 1950 à l'Hôpital de Verdun, je fus une enfant désirée et trop couvée, en particulier par mon père. En 1953, ma mère commença l'enseignement de la danse à claquettes à la maison, presque en même temps que l'arrivée de la télévision, le 6 septembre 1952 à Radio-Canada.

Au début, les costumes des élèves de ma mère étaient fabriqués en papier crêpé. Étant donné qu'ils dansaient dans les parcs l'été, les costumes revenaient parfois détrempés par la pluie ; puis l'idée évolua vers les falbalas, tulles, satins, plumes et palettes qui virevoltaient sur la table de notre cuisine ou de celles des autres mères. Toutes découpaient des modèles et les assemblaient sur leur machine à coudre Singer pour habiller leurs petites danseuses de superbes costumes, tous plus imaginatifs et clinquants les uns que les autres. Très peu de garçons suivaient les cours de madame Égide Blais, du nom de mon père. Les garçons étaient timides et la danse ne leur semblait pas une activité assez virile. Ma mère était curieuse, inventive et brillante. Elle apprenait les pas de danse en observant Fred Astaire ou Gene Kelly dans leurs films. Elle était capable de s'approprier chaque mouvement et de créer des chorégraphies faciles à apprendre pour les enfants. Il faut dire que son père, Léo T. Michaud était un mirifique gigueur et violoneux. Dans cette famille brayonne du Nouveau-Brunswick, les pieds jaillissants du sol et les cuillers sur un genou s'agitaient comme des marionnettes, durant les fêtes familiales. Ma mère enseignera la danse pendant 43 ans. À cette époque son concurrent se prénommait Jean-Paul, le mari de Muriel Millard, vedette de music-hall. Ce dernier assistait aux récitals de fin d'année des élèves de ma mère et elle se faisait un honneur d'être présente aux siens. La petite troupe de danseuses et danseurs de maman s'organisait très souvent pour offrir, par des spectacles, un peu de réconfort aux personnes âgées – infirmes disait-on dans le temps – aux prisonniers, aux orphelins. C'est à la Crèche d'Youville que m'est venue l'idée d'adopter. Voir ces grands enfants – qui n'avaient pas eu la chance d'être choisis tout-petits par des parents – ne recevoir qu'une bonbonnière pour Noël, alors que se camouflaient de faramineux présents emballés sous les parures de notre sapin, fut déterminant.

Lorsque les maisons de chambres furent démodées, mon père se retrouva sans revenu. Jour et nuit, il écrivait des poèmes sur sa vieille Remington ; plus souvent dans la langue de Shakespeare que dans celle de Molière.

Ma grand-mère Joséphine, abandonnée par son mari, avait déménagé avec ses cinq enfants à Westbury Connecticut, aux États-Unis afin de survivre. C'était le moment de la crise boursière de 1929, la Grande Dépression.

Mon père fit ses classes primaires en anglais mais il n'eut pas la chance de poursuivre ses études plus loin. Il devait travailler. De retour au Québec, il s'enrôla à l'âge de 18 ans pour servir dans l'infanterie durant la Seconde Guerre mondiale. Il fut blessé lors d'une des quatre batailles de Monte Cassino en Italie. Il revint du front, comme tous les soldats ayant survécu à ces épreuves, avec de lourds stigmates, à la fois physiques et psychologiques. Pour Papa, l'absence d'instruction était une souffrance de tous les instants. Pour contrer ce problème, il lisait tout ce qui lui tombait sous la main : philosophie, géographie, histoire, ce qui touchait aux sciences en général, ainsi que des biographies mais jamais de romans. Il regardait à la télévision en noir et blanc, surtout les films traitant de la Première et la Seconde Guerre mondiale. Il fut marqué au fer rouge par la Seconde Guerre dont la cruauté des scènes le hantait chaque jour. Il n'avait pas la capacité de travailler à l'extérieur bien qu'il ait suivi un cours en soudure, mais c'était au-delà de ses forces physiques. Il exécutait les travaux manuels de la maisonnée et cuisinait quotidiennement de savoureux petits plats. Il affectionnait la boxe et entraînait de jeunes adeptes dans la cour arrière. Il était juge aux Golden Gloves, une compétition de boxe amateur. J'aimais l'accompagner à ces matchs.

Ma mère était celle qui portait le poids des responsabilités financières et papa la soutenait dans sa carrière. Il servait café et biscuits aux parents accompagnant leurs enfants qui suivaient des cours dans le double salon de la maison. Le soir, le 2679 rue Knox se transformait en roulotte de cirque. Je faisais mes devoirs au rythme des cliquetis et m'endormais dans ma chambre au deuxième étage, au son des 78 tours des années quarante et cinquante.

Un jour pourtant, ma mère installa son studio de danse dans de véritables locaux; elle se déplaçait d'une ville à une autre à la rencontre de nouveaux et nombreux élèves. Les manières de travailler se modifiaient et ma mère connaissait le succès. Elle avait obtenu un permis du ministère de l'Éducation, devenu obligatoire pour enseigner. Cette battante se passionnait pour ses élèves et les spectacles de danse à claquettes.

Mon frère Daniel est né en 1957, sept ans après moi. L'écart d'âge faisait parfois des étincelles. Nous nous disputions souvent, comme beaucoup de frères et sœurs, mais nous nous aimions. Sa personnalité était différente de la mienne et il souffrait de l'attention que certains m'accordaient, ainsi que de mes réussites. J'avais de nombreuses activités. Ma mère me trimballait dans les concours et dans les stations de radio et de télévision. À l'âge de huit ans, je participai au concours Chanteville à la radio CKVL. Je remportai le premier prix en dansant les claquettes. À 10 ans, je chantai et dansai au canal 10 et remportai la demi-finale à Music-Hall des Jeunes. À 13 ans, j'obtins le premier prix lors de la finale du concours *Les Jeunes talents Catelli* (1963) en interprétant au piano la *Danse Villageoise* de Georges Savaria. Ce compositeur fut par la suite l'un de mes professeurs au Conservatoire de musique de la province de Québec à Montréal.

J'étais une enfant de la balle. J'aimais ce côté glamour de mon enfance. J'apprenais le piano à Verdun chez mademoiselle Marie-Jeanne Fortier et je réussissais à me démarquer lors des Festivals de musique de la province de Québec. Je préférais les plumes et les paillettes, mais mon père me disait que je serais trop vieille un jour pour danser, alors que je pourrais poursuivre une carrière musicale. Il m'enfermait gentiment dans le salon afin que je pratique mes gammes et mes arpèges, assise sur le banc de mon piano noir, massif et ancien.

Ma mère était ma fée des étoiles. Très impliquée bénévolement dans les *Filles d'Isabelle*, elle organisait des bazars et autres activités, afin d'aider les moins nantis. Je me projetais en elle. Elle était mon modèle. Depuis son départ, je rêve – parfois éveillée – que je l'appelle. Je mets la main sur le combiné pour finalement me rendre à l'évidence. Maman ne sera plus jamais au bout du fil. Je suis persuadée que je ne suis pas la seule à ressentir cette étrange sensation. C'est comme si un membre de mon corps était sectionné. Je sais que le numéro de téléphone n'est plus le moyen pour la joindre et que je serai en manque de maman à tout jamais. Perdre les êtres de nos vies est une redoutable épreuve. On survit difficilement à leur départ sans trop savoir comment. Lorsque je disais à Jean-Guy que je priais mes morts, il ne voulait pas que j'en parle publiquement. Mais je communique avec eux très souvent. Plus je vieillis et plus la liste s'allonge. Ils m'aident à poursuivre ma route. Ma mère en particulier et maintenant Jean-Guy, à qui je demande de me guider dans mes orientations de vie. Ma mère était très fière de sa fille. Nous étions en parfaite symbiose. Elle me conseillait et me regardait évoluer sur la scène artistique. Papa animait avec brio ses récitals de danse à claquettes. Devenue plus grande, je pris la relève. Je me sentais comme un poisson dans l'eau. À l'aise sur scène, j'aimais le public. Cet exercice m'a sans aucun doute aidée plus tard à devenir une animatrice professionnelle.

Maman n'a pas connu mon parcours universitaire. Je me suis inscrite en 1995 au programme de maîtrise en communication à l'UQÀM. Mon père a suivi mon cheminement jusqu'au doctorat. C'était son grand rêve. Il me répétait *ad nauseam* qu'une personne n'était pas complète si elle n'avait pas étudié à l'université. Alors, j'y suis allée. Il m'avait transmis son complexe. Il s'est éteint peu de temps après ma soutenance de thèse doctorale. Il était émerveillé. J'avais atteint mon objectif. J'avais surtout réussi à réaliser son projet. Incarner son rêve était devenu mien. Ma mère ne s'est jamais doutée que j'irais à l'université un jour. Pour elle, ma vie était totalement dédiée au monde du show-business. Elle n'a pas assisté à cette révolution, ce passage de l'oral à l'écrit. Avec cette entrée universitaire, une page se tournait. Mais puisque je parle avec mes anges, elle sait maintenant ce que je fais. Elle sait que j'écris. Souvent dans mes songes je compose le Wellington 2 – 5975 pour lui dire « je t'aime ».

Si mes parents avaient été vivants, ils ne m'auraient sans doute pas conseillé de faire de la politique. À leurs yeux, j'étais trop sensible pour faire ce métier. Dans la famille nous n'étions pas politisés. Mais papa était Canadien. *A real Canadian*. Il a servi sa patrie durant la guerre et cette patrie était le Canada. Il n'était pas question d'appuyer René Lévesque ni de voter OUI aux référendums. Je m'intéressais très peu à la politique, je préférais le monde des artistes. La vie passait. J'avais obtenu mon doctorat avec beaucoup d'efforts, de recherche et de résilience. Une soutenance de thèse c'est un marathon, un exploit en soi. Être admis dans le temple sacré des docteurs n'est pas une mince tâche. Cette soutenance s'est déroulée le 25 mai 2005. Le jour de l'anniversaire de naissance de ma mère à qui j'aurais voulu dire « je t'appelle maman pour te dire que ce doctorat, je l'ai réussi grâce à l'éducation que tu m'as donnée ». Pour me surpasser, j'entrepris un postdoctorat. J'avais à me prouver que j'avais les capacités nécessaires à aller au bout de toutes les étapes. Je complétai cette recherche postdoctorale grâce à mon directeur de thèse, Jacques Rhéaume, docteur et professeur émérite au département de communication sociale et publique de l'UQÀM. Il me guida, supervisa mon travail, m'aida dans l'écriture. Je lui dois beaucoup sur cette trajectoire de vie. J'étais souvent découragée par le fruit de mon travail que je considérais brouillon et inachevé. Il m'encourageait constamment à poursuivre le plan que nous nous étions fixé pour atteindre mon objectif. Nous étions au début de mon mandat et mes responsabilités ministérielles étaient stressantes. L'étude postdoctorale se termina à l'été 2008. J'aurais pu prendre plus de temps pour aller plus en profondeur dans ma recherche, mais je dus mettre un point final à cette aventure afin de me consacrer à mes responsabilités de députée et ministre. Jacques Rhéaume m'ayant grandement soutenue dans l'élaboration et l'écriture de cette étude, les *Presses de l'Université Laval* nous publièrent conjointement, comme elles avaient publié ma thèse doctorale. J'aurais alors tant aimé pouvoir dire de vive voix à ma mère que j'avais surpassé mes aspirations.

Quand j'ai débuté dans le monde du show-business, on cherchait à recruter de belles filles. Une blonde était perçue comme une personne sans grande intelligence. Plusieurs blagues existaient sur les blondes, plus déplaisantes les unes que les autres et surtout blessantes. Au tout début de ma carrière, j'étais un faire-valoir pour l'animateur, une belle présence pour rehausser le prestige et l'aura masculins. J'étais une « sois belle et tais-toi ». C'est alors que je me suis mise à débiter des mots comme si j'étais un moulin à paroles que rien ni personne ne pouvait arrêter. Je devais prouver mes capacités et prendre ma place. Dépasser ce handicap de belle fille et de fille dyslexique. Je ne fus peut-être pas la meilleure des animatrices, mais je marquai une époque où l'on regardait des émissions de télévision durant le jour avec un vaste auditoire. J'avais cette facilité à entrer en interrelation avec mes invités. J'aimais interviewer les personnes en situation de détresse, ou celles capables de mettre l'épaule à la roue pour apporter des changements significatifs dans notre société.

En 1991, un producteur déclara que j'étais trop vieille pour faire ce métier. J'avais 41 ans. Ce fut un coup dur. Je m'en souviens encore comme si c'était hier. Assise dans un restaurant branché et bondé de la rue Saint-Laurent, je pleurais sans retenue lorsque j'entendis ces délicieux commentaires. Mon habilleuse – celle qui choisissait mes vêtements pour mes émissions de télévision – m'attendait à la sortie sur le boulevard Saint-Laurent. Cette femme ne pouvait pas s'imaginer qu'un producteur pût agir de la sorte. Je pris donc une grande décision. Je ferais autre chose dans la vie et de ma vie.

En 1994, je participai, en compagnie de Louise-Josée Mondoux, porte-parole de *Vision Mondiale*, à un voyage au Sénégal et en Mauritanie. Au cours du tournage où elle animait l'émission, j'observais. Je tenais à m'assurer que les sommes versées à cet organisme par les donateurs aidaient réellement au mieux-être de la population africaine. Je m'exprimais à l'occasion face à la caméra, avec des mots spontanés issus de mon cœur. Je compris combien nous étions choyés au Québec. J'étais subjuguée par les femmes africaines, responsables d'absolument tout. Ces Sénégalaises, magnifiquement belles avec leurs parures et leurs atours colorés, sortent ainsi vêtues de leur case dans la brousse. Elles sont généreuses et partagent le peu qu'elles possèdent avec les visiteurs. Je reçus une poule et deux pommes de terre. Cette rencontre avec la terre africaine au sol rouge et ses baobabs, a modifié ma perception de la vie en société et de mes engagements futurs. J'avais vu à la fois la pauvreté et la richesse de certaines personnes ne possédant presque rien mais donnant tout. Je poursuivis ma carrière télévisuelle avec d'autres stations de télévision, mais dans mon for intérieur, je savais que tôt ou tard, se dessinerait un tournant dans ma vie.

J'avais perdu toutes les économies familiales dans mon aventure en restauration et je m'étais endettée. Nous étions sur la paille. Difficile de se reconstruire lorsqu'on se retrouve dans la quarantaine dépourvue financièrement.

En 1994, à la suite de mes déboires, nous devions tout de même payer les factures. Nous avions trois enfants et ils ne devaient pas souffrir de nos malheurs. Nous déménageâmes dans un appartement et Jean-Guy retourna travailler à la radio. C'est alors que je rencontrai Claude J. Charron, président et éditeur du magazine *7 Jours*, qui me proposa d'écrire des articles dans le cadre de l'Année internationale de la famille (1994). Mais je ne savais pas écrire. J'étais née avec des claquettes aux pieds et j'avais développé une certaine expertise dans le monde de l'oralité. Cet homme d'affaires m'expliqua que le fait de savoir écrire ou non n'avait aucune importance. Il embauchait de nombreux réviseurs et correcteurs qui modifiaient les textes. Lui était à la recherche d'une personnalité connue. Ma tâche consistait à trouver des vedettes, à écrire un texte – édulcoré au passage, car les artistes parlent beaucoup – mais une fois les mots transcrits, ils passaient à la censure et étaient transmis à la direction du magazine qui les réécrivait, corrigeait, peaufinait aux fins de publication. Je me sentais humiliée de faire ce boulot, car j'étais de l'autre côté de la barrière et certains artistes très connus refusaient de m'accorder des entrevues. En même temps, je gagnais ma vie et poursuivais ma route.

Je trouvai pourtant ma cadence et mon plaisir dans cet apprentissage. Mes textes s'amélioraient de semaine en semaine. Je comparai les plus récents à ceux annotés au début de mes premières transmissions au *7 Jours* et je constatai que les modifications apportées étaient moins importantes au fur et à mesure des mois qui passaient. Claude J. Charron est une autre personne significative sur mon parcours de vie, un élément déclencheur. Si je n'avais pas obtenu ce contrat en 1994, je n'aurais jamais pu déposer un projet admissibilité à la maîtrise à l'UQÀM en 1995.

J'étais si entêtée que je ne voulais pas préparer mon baccalauréat. Je me trouvais trop vieille à 45 ans pour étudier avec des jeunes. Je tenais à accéder directement au second cycle. On m'admettait finalement à la maîtrise au département des communications en m'imposant une propédeutique – je ne connaissais même pas le sens de ce terme – mais lorsque je saisis l'ampleur des sept cours à suivre, je contestai. Je rencontrai le directeur du département et réussis à le convaincre, par une argumentation solide, de faire tomber cette propédeutique imposée. Je réussis et je me retrouvai sur un banc dans un premier cours sur les paradigmes en communication ! Mon projet de maîtrise était déjà choisi et bien ancré. Je savais que les Sourds et leur histoire, leur culture propre, seraient mes sujets d'étude. En 1994, l'Institut Raymond-Dewar (IRD) – Centre de réadaptation spécialisé en surdité et en communication – me proposa d'être la porte-parole de leur dizième anniversaire. Dans un premier temps je refusai, alléguant que je n'avais aucun lien avec la surdité. On insista et j'acceptai après avoir suivi quelques cours de LSQ (langue des signes québécoise).

Au centre de documentation de l'Institut, j'empruntai deux livres qui marquèrent ma trajectoire de vie. C'est en lisant Oliver Sacks (*Des yeux pour entendre ; voyage au pays des sourds*, Paris, Seuil, 1990.) et Harlan Lane (*The mask of benevolence : disabling the deaf community*, ed. New York : Knopf, 1992) que je devins extrêmement curieuse et envoûtée par cette culture, née de la révolte des Sourds lors du Congrès de Milan en 1880 : une assemblée internationale destinée à évaluer les différentes méthodes d'enseignement pour les sourds, où *progestuels* et *pro-oralistes* s'affrontent. C'est ainsi que le mouvement *Deaf President Now,* au sein duquel les étudiants fréquentant la seule institution d'enseignement supérieur réservée aux sourds en Amérique du Nord, fermèrent le campus en 1988 durant sept jours, afin de protester contre le choix d'une « entendante » à la présidence de l'institution. Cela entraîna l'affirmation radicale d'une culture sourde[8]. Mon sujet était original en soi, surtout dans un département de communication. La surdité est un handicap invisible. Mais les sourds lorsqu'ils « signent » ne le sont pas. Ils se perçoivent par leur langue et leur culture au détriment de l'aspect physiologique de la surdité. J'avais été saisie en apprenant qu'il existait de vrais et de faux sourds, selon certains membres de la communauté sourde, c'est-à-dire que ce n'est pas le degré de surdité qui importe, mais l'identification d'une personne sourde à la langue des signes, à la notion de culture sourde et à la communauté. Certains sourds préfèrent s'identifier à la culture « entendante » et tout mettre en œuvre pour favoriser ce rapprochement par

---

8. *La culture sourde. Quêtes identitaires au cœur de la communication.* Les presses de l'Université Laval, 2006, p8 et p13.

l'orthophonie, l'utilisation de prothèses auditives, d'implants cochléaires et choisissent de ne pas vouloir faire corps et esprit avec les membres de la communauté sourde. Certaines personnes sont nées « entendantes » et sont devenues sourdes au cours de leur vie. Leurs référents sont ceux du monde des « entendants ». De plus en plus de personnes sourdes ayant reçu des implants cochléaires, parlent et « signent ». Elles se promènent entre les deux cultures. J'étais si emballée par le projet, que les mots difficilement alignés parvenaient finalement à former des phrases complètes. Et le mémoire de maîtrise s'imprima. J'avais compris l'effet de l'entonnoir. On a l'obligation de mettre un point final à son texte, sinon on reste enchaîné à lui et on ne le termine jamais. Je reçus le prix *Reconnaissance UQÀM 2004* de la Faculté des lettres, langues et communications. Un grand honneur !

Près de deux ans plus tard, j'entrepris le doctorat en communication, obligeant à une quantité impressionnante de cours. C'est un doctorat conjoint avec l'Université de Montréal, l'Université Concordia et l'Université du Québec à Montréal. Je m'inscrivis dans des cours aux trois universités, tout en travaillant en parallèle à la *Fondation du maire de Montréal pour la jeunesse*, un organisme que je mis sur pied en 1996 avec le maire de Montréal, Pierre Bourque. Il avait renoncé à son salaire au profit des jeunes entrepreneurs montréalais à faible revenu, en offrant des bourses de démarrage.

La trajectoire de ma vie une fois de plus se modifia. Jeune fille, j'étudiais au Conservatoire de musique de la province du Québec. Mon instrument privilégié était l'orgue et mon professeur, le célèbre musicien Bernard Lagacé. Pour quelles raisons – alors que j'étais sur le point de passer le concours – ai-je renoncé à la musique et en particulier à l'orgue ? Je m'étais investie dans la musique depuis mon enfance et maintenant que j'étais réellement formée en tant que musicienne, je quittais le navire sur un coup de tête.

Je tourne une page de la vie, la vie !

« *La politique est l'art du possible* »

Otto von Bismarck

Jean Charest, premier ministre du Québec
et Marguerite Blais à l'assermentation
en tant que ministre des Aînés en 2007

Christine St-Pierre et Marguerite Blais se
présentent en politique le 14 février 2007

Michel Louvain reçoit la médaille
de l'Assemblée nationale soulignant ses
50 ans de carrière, le 26 novembre 2009

Philippe Couillard, premier ministre
du Québec et Marguerite Blais

Michèle Dionne, épouse de Jean Charest,
premier ministre du Québec, Marguerite Blais alors
qu'elle était ministre des Aînés

Dr John Beard, Directeur du
Département Vieillissement et qualité de vie
à l'OMS et Marguerite Blais, en 2013

Ministres responsables des Aînés au Canada

Marguerite Blais à la remise de la Médaille
d'honneur à Ingrid Bétancourt, à l'Assemblée
nationale le 23 septembre 2009

Parade de la Saint-Patrick rue Ste-Catherine

Je travaillais à la radio – Radio-Canada – lorsque Pauline Marois m'invita à sa table pour la soirée d'hommage en l'honneur de monsieur René Lévesque, le 27 septembre 1985 au Palais des Congrès de Montréal.[9]

Cet homme, adulé par les Québécois – même ceux qui n'étaient pas séparatistes – quittait la vie politique à l'automne de la même année. Il en avait fait l'annonce le 20 juin. Ça « jouait des coudes » à l'intérieur du parti québécois. Cinq ministres de son cabinet avaient démissionné en novembre 1984. On poussait le grand René Lévesque dehors. Dans tous les partis politiques, on trouve toujours des gens pour tirer la couverture à eux en dénigrant parfois, pour ne pas dire souvent, le travail des autres. C'est un milieu très dur ; un véritable milieu de boxeurs ne connaissant pas la délicatesse. Ayant été invitée au banquet quelques jours plus tôt par une autre personne, je déclinai, à regret, l'invitation de cette ministre polyvalente, mais lui fis savoir que je serais très honorée de prendre le dessert à sa table. Cette femme m'envoûtait. Je l'admirais. Femme de tête et de cœur, il était évident qu'elle voulait laisser sa marque en politique. Ce

9. Merci à Marc-André Gosselin pour cette référence.

qu'elle fit. Première femme première ministre du Québec, elle contribua largement à faire comprendre aux femmes – jeunes comme moins jeunes – que tout était possible pour elles dans ce monde carburant encore à la testostérone, malgré les avancées – insuffisantes – des dernières années. Lors de son invitation, je coanimais une émission de services à la communauté à Radio-Canada. Je l'avais interviewée dans le cadre de ce programme et la magie avait agi. Elle a toujours été affectueuse à mon égard. J'aurais eu grand plaisir à la connaître davantage et à travailler auprès d'elle. J'aurais appris beaucoup sur cette femme, à la fois douce et impitoyable. Sa plus grande faiblesse, dans les yeux de celles et ceux qui observaient, était sans doute que tout son être dégageait une allure aux couleurs de haute bourgeoisie. « Ti- Poil » – sobriquet donné à René Lévesque en raison de sa calvitie – quant à lui, faisait office d'homme du peuple. Et le peuple s'associait à cette image et à la simplicité qu'il dégageait. Pauline – communément appelée par son prénom – portait des bijoux et des tailleurs de luxe et habitait un château. Pour le peuple, ses vêtements ne passaient pas la rampe. Elle tenta un changement de style mais même sans bijoux, vêtue de gris ou de noir, lunette carrée et cheveux moins stylisés, son image précédente la suivait partout, jusque dans les corridors de l'Assemblée nationale. Dommage! Elle s'est battue, madame Marois; elle a marqué l'histoire de la politique québécoise.

En 1985, sans crier gare, Robert Bourassa me téléphona en fin d'après-midi. J'étais alors porte-parole de la chaîne d'alimentation Métro. Ce jour-là, je visitais le magasin d'un marchand de Hull. J'étais à la fois figée et estomaquée. Robert Bourassa en personne, au bout du fil, sollicitait une rencontre avec moi pour le lendemain, en fin de journée, à sa résidence d'Outremont. Je garderai toujours dans ma tête l'image de ce moment, aussi nette que sur une pellicule de film passant et repassant en boucle : j'étais au comptoir, à l'avant du magasin, à l'endroit où l'on rapporte les bouteilles consignées, en ligne avec le futur premier ministre du Québec. Celui qui a dit un jour : « un peuple économiquement faible peut toujours avoir un passé, mais il n'aura jamais d'avenir » (*Robert Bourassa, la passion de la politique*, Volume 1 par Charles Denis, Éditions Fides, 2006).

À l'heure dite de notre rendez-vous, j'étais assisse sur un divan dans son salon, bien droite, comme une collégienne. Selon mes souvenirs, je contemplais une huile de Jean-Paul Lemieux, un des plus grands peintres québécois. Le contexte de cette rencontre m'impressionnait et m'intimidait.

Quelques instants plus tard, monsieur Bourassa entra, un verre de lait à la main, de retour du CEPSUM[10] où il nageait régulièrement. La natation avait cet effet libérateur d'effacer le stress causé par ses longues heures de travail et ses responsabilités. Après une brève présentation, nous entamâmes ma première réelle discussion politique. Il faut dire que les questions touchant à la politique n'étaient pas encore pour moi des enjeux véritablement importants. Cet homme sérieux, mais nullement prétentieux, à la voix douce

---

10. CEPSUM : Centre d'éducation physique et des sports de l'Université de Montréal.

et posée, tenait à savoir si les sujets en lien avec la condition féminine m'intéressaient. Spontanément et du tac au tac, je lui répondis qu'en l'an 2000, il y aurait un million de personnes âgées de 65 ans et plus, au Québec et qu'il serait bon de penser – par mesure prospective – à créer un ministère dédié aux personnes âgées. Ce domaine m'intéressait depuis longtemps puisqu'en 1979, Jacques Lalonde, réalisateur à la radio de Radio-Canada, m'avait engagée pour faire la recherche et l'animation de chroniques quotidiennes sur l'environnement des personnes âgées et leur mieux-être. À l'époque, dans les médias, peu de personnes traitaient de ce sujet, en dehors de Claire Dutrisac de *la Presse* et moi-même. Ce soir-là, Monsieur Bourassa testait mon désir de briguer une candidature en vue de l'élection de 1985. Mais ce n'était pas si simple. L'entreprise Métro venait d'investir 500 000 $ dans une campagne publicitaire dont j'étais la porte-parole, celle qui représentait la consommatrice moderne. J'étais en quelque sorte l'image de l'entreprise. Il n'était pas question, pour Gaétan Frigon, vice-président marketing, que je me dérobe à mes engagements. Par ailleurs, au fond de moi, je me voyais mal « m'enrôler » dans cette exigeante carrière et ne me sentais pas une maturité suffisante pour le jeu de la politique partisane – ce que je n'ai jamais réellement ressenti.

Jean-Guy et moi venions d'acheter une maison à Outremont, sans doute trop onéreuse pour nos moyens[11] mais je la voulais absolument. De plus, mon mari et moi attendions un enfant, peut-être deux : nous avions formulé

---

11. Lire le chapitre se référant à Gaétan Frigon.

une demande au Secrétariat à l'adoption internationale quatre ans auparavant. J'anticipais la venue de cet enfant, quel que soient le pays d'origine, l'âge, la combinaison d'une fratrie, avec handicap ou non. Je souhaitais me concentrer sur ce futur rôle de mère ainsi que sur ma carrière télévisuelle en tant qu'animatrice.

Lors des élections suivantes de 1989, Mario Bertrand, l'homme fort du premier ministre Robert Bourassa, tenta une fois de plus de me convaincre de porter les couleurs du PLQ. Ce fut un deuxième refus pour des raisons personnelles et professionnelles. J'étais déjà maman de deux enfants d'origine péruvienne et nous allions chercher notre Guatémaltèque le 5 décembre 1989. J'animais *Marguerite et Compagnie* à TQS avec Claire Caron et mon mari et moi avions acheté deux restaurants et un bar qui nous firent perdre nos chemises respectives. La suite de l'histoire est fort simple. Plusieurs chefs de différents partis politiques – fédéraliste ou souverainiste – m'approchèrent et tentèrent de me convaincre de faire le saut en politique active au sein de leur formation. Je me souviens de Gilles Duceppe – l'homme charismatique aux yeux bleus – qui souhaitait que j'affronte Liza Frulla dans la circonscription *Jeanne-Le Ber*. Il m'était impossible de me présenter contre une femme que je connaissais et que j'aimais. De plus, je ne comprenais pas ce que le Bloc québécois faisait encore au fédéral. Un parti temporaire en permanence. J'étais sans doute « dans le champ », car le Bloc a défendu les intérêts des Québécois à Ottawa.

En 2003, ce fut au tour de Jean Charest de m'interpeller par l'intermédiaire de Pierre Bibeau, organisateur électoral du parti libéral. Même réponse. Mais à ma grande surprise et contre toute attente, je fus nommée présidente du Conseil de la famille et de l'enfance en décembre de la même année. Je devais vivre à Québec durant la semaine et je revenais par train à Montréal les jeudis soirs. J'avais un tout petit bureau de fonction rue Fullum, qui me permettait de faire des rencontres les vendredis depuis la métropole. J'adorais ce poste de « mandarine ». Avis, études, rapports annuels, conférences. Creuser des sujets qui touchent à la famille, aux enfants, aux personnes âgées et aux proches aidants. Le dernier rapport que j'ai signé en tant que présidente visait à mieux faire connaître les conditions des hommes en tant que pères. Les discussions au Conseil de la famille furent vives. Notre lorgnette d'approche passait la plupart du temps par la vision des femmes. Elles représentaient le socle familial et les hypothèses partaient de ce point. Personnellement, je souhaitais, avec l'aide d'autres membres du conseil, inverser cette tendance. Ce fut l'objet d'un beau rapport montrant que les hommes étaient de plus en plus présents auprès de leurs enfants. Plusieurs s'en occupaient autant que les mamans. Les congés parentaux ont grandement contribué à cette transformation des mentalités. L'augmentation des femmes sur le marché du travail a également concouru au partage des tâches de la vie quotidienne et à un changement de paradigme : ce que je considère comme excellent dans une société moderne où les rapports hommes - femmes doivent impérativement se transformer. Je parle ici d'un enjeu majeur, en particulier avec l'accueil de nouveaux immigrants et réfugiés. Faire en sorte que les femmes ne soient pas confinées dans leur maison comme à l'âge de pierre. Nous avons ce devoir d'accueil dans le respect de notre culture pour réussir une réelle intégration de l'Autre, qui fait que notre « ceinture fléchée » s'enrichit de laines différentes tricotées et serrées les unes aux autres.

Puis, André Boisclair m'approcha en 2006, pour une élection partielle dans un comté acquis au parti québécois. C'est par l'intermédiaire de Nicolas Girard qu'il me contacta. Je n'ai pas réellement compris les raisons pour lesquelles il ne m'avait pas téléphoné directement. Cela créa chez moi un certain malaise. Je ne le rencontrai pas. Pourtant nous nous connaissions. Les rumeurs sur la colline parlementaire se répandent comme une traînée de poudre. Un haut fonctionnaire de l'État a l'obligation de rester neutre politiquement.

Nous étions à quelques jours de la fête de Noël. Je sollicitai un rendez-vous avec le premier ministre du Québec afin de m'expliquer. À ma grande surprise, Jean Charest me reçut rapidement. Il était sympathique, convivial, détendu, avec un sens de l'humour qui le caractérise. Cet homme – qui aimait son caucus et l'écoutait – nous a fait tellement rire !... même lorsque tout allait mal sur le terrain. Je lui expliquai, ce jour-là, que je ne voulais pas faire de politique active malgré les nombreuses approches formulées au fil des ans. Je lui racontai, au tout début de notre entretien, que j'étais amie avec le docteur Réjean Thomas et que je connaissais bien André Boisclair ; et la conversation débuta ainsi. En le quittant, la main sur la poignée de la porte de son bureau, je ne sais trop pour quelle raison je me retournai vers lui et lui dis spontanément que si un jour il avait besoin de quelqu'un pour représenter le comté de Saint-Henri-Sainte-Anne, là où je suis née, là où je vivais, il pourrait m'appeler. Il faut croire que son sourire, son accueil, son humour m'avaient envoutée. C'était une personne passionnée. Combien de fois m'a-t-il téléphoné quand tout allait mal?

Quelques mois plus tard, j'étais parachutée en pleine campagne électorale. Je savais que j'avais trop parlé le jour de notre rencontre. En sortant de mon appartement en bordure de la rue Notre-Dame, j'eus un choc. Ma photo, immense, était placardée sur un poteau et me fixait. Il était trop tard pour renoncer à ce choix extrême et retourner à ma carrière au Conseil de la famille et de l'enfance, que j'avais quittée sans filet, donc sans protection financière. De la pure folie! Monsieur Charest s'était engagé lors de la campagne à nommer un ministre dédié aux aînés. J'en rêvais. C'était la raison pour laquelle mon engagement politique prenait tout son sens. Les questions qui convergent vers les aspects sociaux forment la fibre sensible qui me caractérise encore aujourd'hui. Toutes les autres avenues politiques très pertinentes, tels que le fédéralisme et la souveraineté étaient nettement moins importantes à mes yeux. Je suis nationaliste de nature et j'aime profondément le Québec. Ma famille maternelle étant issue du Nouveau-Brunswick, il n'était nullement question, pour ma tante ursuline, que je sépare le Québec du Nouveau-Brunswick. La notion de l'unité canadienne comme enjeu n'était même pas le sujet premier à mon ordre du jour pour choisir un parti fédéraliste. C'était celui de l'unité de la langue française. Le Québec a le devoir de protéger les provinces dont les locuteurs en français se sentent menacés et disparaissent à petit feu. Je souhaite que le Québec soit un réel *leader* et protecteur de la langue française à l'intérieur du Canada. Sinon, qu'avons-nous en commun ? En partage ? Un vaste territoire méconnu pour nombres de Québécois ? Le Canada n'est un pays bilingue français-anglais que dans la symbolique. Dans la réalité, les locuteurs francophones sont mal ou peu protégés.

Élue pour la première fois le 26 mars 2007, j'étais députée d'un magnifique comté où richesse et pauvreté se côtoyaient. C'est sans aucun doute ce qui a marqué le plus mon mandat : de luxueux condos affluant le long du canal de Lachine et se construisant dans Griffintown et tout proche, le plus grand parc d'habitations à loyer modique (HLM) au Canada. Quel paradoxe! Je suis née dans un milieu modeste et j'ai vu mes parents calculer sou par sou pour me permettre de m'instruire. De députée, je fus immédiatement parachutée à un poste de ministre responsable des Aînés. J'étais enchantée. C'est que je les aime réellement ces personnes qui vieillissent et qu'on ne veut pas voir dans notre cour! Le Québec est la deuxième société après le Japon à vieillir aussi rapidement. Il ne faut surtout pas en parler. Nos aînés semblent invisibles. Et vous savez pourquoi? Parce que ce n'est pas sexy de parler des vieux[12]. Je vous entends déjà sursauter : j'ai osé utiliser le terme « vieux ». J'ai toujours cru que les rides étaient comme

12. Se référer au Dr David Lussier dans le chapitre Docteurs de cœur.

les sillons d'une carte géographique exprimant les histoires de vie des femmes et des hommes.

Vingt ans avaient passé depuis que j'avais proposé à Robert Bourassa d'instituer un ministère entièrement dévolu aux personnes âgées. Monsieur le premier ministre Charest ne créa pas réellement un nouveau ministère des « Aînés », car en 2007, le gouvernement était minoritaire. Il scinda le ministère de la Famille et des Aînés en deux unités distinctes. Christine St-Pierre hérita de la Condition féminine qui faisait partie du *ministère de la Famille, des Aînés et de la Condition féminine*. J'aimai profondément cette ex-collègue. Nous avons fait le saut en politique en même temps, par un soir de tempête de neige le 14 février 2007, nous rendant un peu complices. Nous sommes restées amies. Elle s'est occupée de moi lorsque Jean-Guy était malade. Elle me téléphonait, me transmettait des textos. Elle vint aussi manger à la maison au cours de l'été 2015, apportant tous les petits plats. Une autre femme de tête et proche de cœur.

À mon arrivée au gouvernement, le terrain des aînés était presque vierge. J'eus donc l'immense privilège de mettre en place des actions et des programmes afin d'améliorer les conditions de vie des aînés. Je m'intéressais aussi à mon comté. Mon équipe était des plus merveilleuses. D'année en année, nous partions, tel le père Noël et ses lutins[13], pour offrir quelques présents aux personnes aînées et à celles, plus démunies, lors de leur fête collective souvent modeste. Au Québec – contrairement au fédéral - les députés disposent

13. Isabelle Gautrin, Gabriel Retta et leur équipe.

d'une enveloppe budgétaire (Soutien à l'action bénévole) leur permettant de financer des organismes communautaires. Je pense que cette mesure gouvernementale doit être maintenue, nonobstant les efforts pour atteindre l'équilibre budgétaire. Les 400 ou 500 $ que certains organismes reçoivent est souvent le seul montant attribué au cours de l'année pour organiser de petites activités. Ces organismes brisent l'isolement des personnes vulnérables ou des enfants démunis et les rassemblent.

Durant mon mandat de députée, je fréquentais l'église Saint-Charles, celle de mon enfance, et je m'y sentais à ma place. Je connaissais plusieurs paroissiens depuis toujours. Deux curés importants à mes yeux se succédèrent : Gerry Martineau et Jean Boyer. Ils étaient proches de leurs fidèles. Leurs sermons correspondaient à la réalité d'aujourd'hui. Ils parlaient sans lire leur texte. Jean est né à une rue de distance de la mienne. Il était plutôt de la génération de mon frère Daniel, décédé en 2014. Nous étions natifs de la Pointe-Saint-Charles. Le père Boyer a d'ailleurs présidé aux funérailles de mon frère et de mon époux, alors que bénévolement, Marc Hervieux, le célèbre ténor lyrique, rendait un vibrant hommage à l'homme de ma vie, par ses interprétations de Schubert et de Franck. Lorsqu'il m'arrive d'entrer dans ce sanctuaire de paix et de lumière, mon âme s'enrichit d'une sorte de massage. Je ne fréquente pas les églises régulièrement et je ne prétends pas être une bigote, Mais de temps à autre, lorsque j'y vais, je m'y sens bien, en paix.

Sans m'étendre sur mes actions politiques durant mon mandat de ministre responsable des Aînés (2007-2012), je réussis pourtant à élaborer et à mettre en place un Plan d'action gouvernemental pour combattre la maltraitance envers les personnes aînées. Je fus membre du comité sur les abus exercés à l'endroit des personnes âgées en 1987. Le rapport *Vieillir… en toute liberté*, produit en 1989, fut acheminé à la ministre de la Santé et des Services sociaux, Thérèse Lavoie-Roux. Ce rapport avait été – pour des raisons obscures – « tabletté ». Vingt ans plus tard, le hasard voulut que je dépose un plan d'action allant dans le même sens. Au passage, je souligne l'excellent travail de Marie Beaulieu – docteure en Sciences Humaines appliquées et professeure titulaire à l'Université de Sherbrooke – qui nous a réellement guidés pour l'élaboration de ce plan d'action. Marie Beaulieu est spécialiste dans le domaine et dirige l'unique chaire de recherche au monde, sur la maltraitance envers les aînés, une action phare découlant d'ailleurs du plan.

Un autre projet porteur fut celui des politiques *Municipalités amies des aînés*. Certains me trouvèrent farfelue lorsque je proposai cette idée. Mais en collaboration avec Suzanne Garon, docteure en Sociologie et également professeure titulaire à l'Université de Sherbrooke, nous réussîmes un véritable exploit. Le Québec est aujourd'hui la société la plus avancée mondialement dans l'implantation des *Villes amies des aînés*, selon un concept élaboré par l'Organisation mondiale de la santé (OMS). Nous avons même enrichi la philosophie de base de l'OMS, en finançant les villes et villages élaborant une politique avec et pour les aînés. Le premier ministre ne m'avait pas confié le mandat sur les proches aidants. On n'en parlait pas encore beaucoup et Chloé Sainte-Marie me harcelait, surtout dans les médias. Bonne initiative de sa part en fait, car je réussis à mettre en place un fonds de soutien pour les proches aidants (L'Appui) grâce, entre autres, à la fiducie familiale Lucie et André Chagnon (50 M$) et au gouvernement du Québec (150 M$ de la taxe du tabac). André Chagnon est l'homme d'affaires fondateur de l'entreprise de câblodistribution Vidéotron. Avec les fonds générés pas la vente de Vidéotron, il créa la Fondation « Lucie et André Chagnon » (Lucie étant le nom de sa défunte épouse). Cette fondation vise à enrayer la pauvreté et la maladie chez les enfants. Mais les 50 M$ pour les proches aidants proviennent de la fiducie familiale, totalement indépendante de la Fondation Lucie et André Chagnon.

En 2007, je fus également sollicitée par Mark Stolow et Lucy Barylak du *Réseau Aidant*, le plus grand réseau de téléapprentissage au Canada pour les proches aidants. Ils souhaitaient faire reconnaître par l'Assemblée nationale du Québec, la première semaine de novembre comme étant celle des proches aidants. J'eus aussi le privilège de déposer la première politique et le plan d'action sur le vieillissement « Vieillir et vivre ensemble - Chez soi, dans sa communauté, au Québec ». Elle fut rendue possible financièrement grâce au budget du ministre des Finances Raymond Bachand qui vouait un culte aux personnes aînées et aux plus vulnérables de la société. Malheureusement, des élections nous appelaient aux urnes en 2012 et cette politique – même avec le retour du PLQ au pouvoir en 2014 – est tombée en partie dans les oubliettes, notamment celles requérant beaucoup de financement. Je pourrais allonger la liste des réalisations au cours de mes années en fonction. Mais je m'en tiendrai à une en particulier : une Consultation publique sur les conditions de vie des aînés, en 2007. Malheureusement on parla peu de cette tournée dans les médias car en parallèle, se tenait la Commission Bouchard -Taylor[14] nous éblouissant sous les feux de la rampe, chaque soir à RDI.

Pourtant, les aînés avaient tant de choses à raconter, à confesser : non seulement leurs misères, leurs expériences, mais aussi leur résilience et des pistes de solutions à proposer. Hélas, notre consultation était l'enfant pauvre des médias, donc du centre de l'intérêt public en général. Mais c'est néanmoins grâce à cette consultation que des groupes, n'ayant au préalable que peu d'échanges entre eux, se mirent à le faire afin d'améliorer le sort des aînés et de leurs proches. À cet effet et pour atteindre nos objectifs, nous avions élaboré une trousse d'information sur des thèmes et des sous-thèmes comportant à la fois des chiffres et des faits sur la situation des personnes âgées. Les principaux thèmes élaborés portaient sur les aînés dans leur famille, dans la société et dans les différents milieux de vie. Au cours de cette consultation, nous avons parcouru les 17 régions du Québec incluant le Nunavik et nous avons visité 25 villes. 52 séances publiques et 7 séances d'experts. Plus de 4 000 participantes et participants sont

14. Commission Bouchard-Taylor : commission de consultation sur les pratiques d'accommodement reliées aux différences culturelles ; créée le 8 février 2007 par Jean Charest, premier ministre.

venus à notre rencontre. 275 mémoires furent déposés. Nous avons reçu près de 3 000 lettres, courriels, mémos et appels téléphoniques. Tout cela figure sur le « Rapport sur la consultation publique sur les conditions de vie des aînés : *Préparons l'avenir avec nos aînés* » (Famille et Aînés, Québec. P.34).

En 2012, une troisième élection valida la perte du PLQ en pleine crise. Celui-ci avait en effet sous-évalué l'impact encore présent et sensible des manifestations d'étudiants et autres contestataires descendus dans les rues du Québec pour des raisons sociales et environnementales, quelques mois auparavant. Le sort du parti se joua dans l'isoloir. Jean Charest était alors un mal-aimé à la tête d'un gouvernement usé. Pourtant, avec tous les problèmes que le PLQ avait eus (Commission Charbonneau), il n'était qu'à 40 000 voix de moins que le PQ avec 50 députés élus sur 54 pour le PQ, le soir du scrutin du 4 septembre 2012. C'était quasiment une victoire.

Le parti québécois formait un gouvernement minoritaire avec une première femme au poste des commandes. Pauline Marois gagna une partie de son pari. Jean Charest, battu dans Sherbrooke, quitta son poste de chef du PLQ et de chef de l'opposition officielle. En tant que députée siégeant dans l'opposition officielle, j'obtins ce que je souhaitais ardemment depuis longtemps, soit l'intégralité du dossier des aînés. Ce qui voulait dire que j'avais également la responsabilité des résidences pour personnes âgées et des CHSLD[15] ; ce que je n'avais pas à l'époque où j'étais ministre.

Les aînés vulnérables étaient sous la protection du ministre de la Santé et des Services sociaux et le sont toujours. Ce qui me conférait le droit de poser en chambre – si le leader, Pierre Moreau, accordait de l'importance à ce sujet – les questions d'actualité auxquelles le ministre de la Santé et des Services sociaux, le docteur Réjean Hébert, devait répondre. Lui et moi, nous nous connaissions. Je l'avais proposé à titre de coprésident de la Consultation publique sur les conditions de vie des aînés, à cause de sa notoriété dans le domaine de la gériatrie et de la gérontologie. Ensemble, nous avions parcouru le Québec en compagnie de madame Sheila Goldbloom, détentrice d'une maîtrise en travail social, professeure associée à l'Université McGill et octogénaire. Nous formions un superbe trio! Les propos de madame Goldbloom – travailleuse sociale – étaient empreints d'une immense sagesse et elle représentait un modèle de vieillissement actif. J'aimais de temps à autre partager un repas avec le Dr Hébert après une longue journée de consultation publique, et échanger sur les paroles que nous avions entendues. Mais plus tard, au Salon bleu, le débat entre nous devint houleux, presque viril. Si mon style se voulait un peu théâtral, celui du Dr Hébert l'était tout autant. Nous étions tous les deux des passionnés de la cause des aînés et du fameux virage du maintien à domicile qui doit continuer de progresser avec le vieillissement de la population. Le maintien d'une personne

---

15. CHSLD : Centre d'hébergement et de soins de longue durée.

âgée dans sa résidence, aussi longtemps que possible et dans de bonnes conditions, coûte moins au gouvernement qu'un hébergement en CHSLD.

À la toute fin de la Consultation publique sur les conditions de vie des aînés, sans nous aviser, le docteur Hébert sortit de son chapeau un lapin en pleine conférence de presse. « Le gouvernement doit injecter immédiatement 500 millions de dollars pour les soins à domicile ». Sans mentionner comment il financerait le tout! Les journalistes étaient éblouis. Ils n'y voyaient que du feu. Le gouvernement avait beau dire qu'il allait injecter 500 millions de dollars sur cinq ans, le mal était fait. Les journalistes n'entendaient que les hauts cris du docteur Hébert à qui ils vouaient un culte. Même Pauline Marois, en campagne électorale, étala l'engagement de 500 millions de dollars pour les soins à domicile sur quatre ans. La politique de maintien à domicile du docteur Hébert était merveilleuse sur papier mais financièrement utopique et difficilement réalisable, étant donné le manque d'effectifs en professionnels de la santé. On ne peut pas réinventer la roue. Il faut la faire tourner différemment!

Un certain nombre de centres de santé et de services sociaux avaient réussi le virage des soins à domicile. Je suis d'avis que nous devons nous inspirer de ces succès et tenter de les appliquer ailleurs, dans les autres centres de santé et services sociaux dans les régions du Québec, afin d'implanter les soins à domicile de manière plus harmonieuse à long terme. Mais le docteur Hébert visait très haut – ce qui n'est pas un défaut – mais trop rapidement. Les 500 millions de dollars pour les soins à domicile n'avaient pas encore été déposés dans une caisse dédiée à l'assurance autonomie et il voulait déjà modifier, par une loi, le système de santé. Comment ? En retirant entre autres, du ministère de la Santé et des Services sociaux les 4,3 milliards de dollars par année, comptabilisés et dévolus aux soins à domicile aux personnes aînées, ainsi qu'aux adultes déficients physiques ou intellectuels et en les confiant à la Régie de l'assurance maladie du Québec (RAMQ). Un véritable branle-bas de combat s'annonçait. On déplorait déjà le manque d'infirmières et infirmiers, de préposés aux bénéficiaires, de gériatres et autres professionnels de la santé et le ministre voulait tout chambarder. Il échouera. Il avait pourtant réussi à faire rêver des milliers de Québécois avec ses 500 millions de dollars. Mais le président du Conseil de trésor, Stéphane Bédard, ne possédait pas les sommes nécessaires pour répondre immédiatement aux aspirations de son collègue de la santé. Celui-ci n'eut pas le temps de réaliser ses ambitions.

Aujourd'hui, je me questionne : si, au moment où j'étais dans l'opposition, j'avais postulé pour obtenir un dossier autre, tel que celui de la culture ou de la condition féminine, aurais-je pu prendre une distance avec ceux qui touchent les aînés et les proches aidants ? En politique, nous sommes appelés à changer relativement souvent de responsabilités, mais tel n'était pas mon désir et ce ne le fut jamais. Pendant ce mandat à l'opposition, j'ai déposé le projet de loi 399, loi visant à enrayer la maltraitance des personnes vulnérables hébergées dans le réseau de la santé et des services sociaux. D'autre part, j'ai également déposé une demande – par le biais de la députée Stéphanie Vallée – à la Commission de la santé et des services sociaux, afin d'étudier les conditions de vie des adultes hébergés en centre d'hébergement et de soins de longue durée. Tous les pores de ma peau, les espaces de mes réflexions et les élans de mon âme étaient imprégnés de ce qu'un gouvernement devait faire pour les personnes vieillissantes et celles, pas forcément malades, tels les proches aidants, avec toute la vulnérabilité qui peut les entourer. J'avais les aînés tatoués en plein cœur.

Contre toute attente, le gouvernement de madame Marois, du parti québécois, déclencha rapidement des élections en 2014. Les citoyens furent appelés aux urnes le 7 avril 2014. Pauline Marois perdit sur tous les fronts, y compris dans son comté de Charlevoix. La Charte des valeurs ne faisait pas l'unanimité, bien au contraire. Elle divisait. Philippe Couillard, qui avait été choisi par les délégués du PLQ lors de la course à la chefferie du 17 mars 2013 pour remplacer Jean Charest (battu dans Sherbrooke le 4 septembre 2012) n'eut pas d'autre choix. Il lança ses troupes en campagne électorale lors du déclenchement des élections par le PQ et fut élu dans le comté de Roberval, en région dite éloignée (gagnant ainsi son pari) et sa formation politique forma un gouvernement majoritaire.

Au début des élections, je perdis mon frère unique. Son service funèbre fut célébré le 8 mars 2015 à l'église Saint-Charles. Je n'eus pas le temps de m'apitoyer sur cette perte immense. Je fus très présente sur le terrain avec Philippe Couillard lors des engagements électoraux touchant, entre autres, les aînés et les proches aidants. Philippe Couillard m'avait sollicitée en tant que coprésidente lors de la course à la chefferie, mais j'avais décliné l'invitation. J'avais préalablement accepté de m'associer à Raymond Bachand, avec lequel j'entretenais une certaine amitié du temps où il était vice-président des acquisitions chez Métro. De plus, il avait soutenu financièrement la première politique sur le vieillissement et autres actions pour les aînés et proches aidants, dans différents budgets. Mais je m'étais facilement ralliée à Philippe Couillard dont la course au leadership avait été très belle. Je ne fus pas retenue lors de la composition des membres du conseil des ministres. On n'avait sans doute plus besoin de mes services aux aînés. Ce n'était pas réellement le titre de ministre que j'aimais, mais les dossiers liés au phénomène du vieillissement. Comme une chercheuse universitaire, je les croyais miens. Ils m'habitaient totalement. En politique, il ne faut pas s'attacher, on peut se brûler. C'est Nathalie Normandeau, vice-première ministre et ministre du gouvernement de Jean Charest, qui m'avait dit un jour que la politique était l'art de passer entre le mur et la peinture… J'en conclus que cet art n'a pas été ma plus grande force. Je ne suis décidément pas une politicienne de carrière. Je suis une proche de cœur.

J'avais développé une belle complicité avec certains gardes du corps, ces professionnels dont la mission est d'assurer la sécurité des premiers ministres et ministres et qui sont, comme au confessionnal, de véritables tombes pour celles et ceux qu'ils protègent. Éric Létourneau, Guy Morency et Michel Hubert furent des plus importants dans ma vie de ministre et de femme. Dans la voiture, je m'asseyais devant et non derrière; et nous échangions sur la vie. Tous les trois sont venus assister aux funérailles de Jean-Guy et cette marque de respect m'a profondément touchée, tout comme la présence de la ministre Christine St-Pierre et du député de la circonscription de Côte du Sud, Norbert Morin.

La politique telle que je la conçois est un véhicule qui permet de faire avancer des enjeux de société. C'est une croyance profonde. Je ne suis pas la seule personne à s'être engagée en politique pour servir et non se servir. Mais que cette « amante » peut devenir capricieuse et pernicieuse! Certains s'intoxiquent avec le pouvoir. Les coups volent bas. Plus souvent dans son propre parti que dans celui d'en face. La présence masculine dans les sphères de décisions est omniprésente. Jean Charest avait réussi à faire davantage de place aux femmes, tant au sein de son conseil des ministres paritaire que dans les conseils d'administration des sociétés d'État dont les questions entourant l'économie sont toujours à l'ordre du jour. Ces questions sont évidemment essentielles, mais nous oublions trop souvent nos citoyens pauvres, en situation de handicap, seuls et vulnérables. Nous ne sommes malheureusement pas nés égaux.

Un gouvernement a le devoir de trouver un point d'ancrage qui se situe entre l'équilibre budgétaire et les besoins des personnes qu'il protège. Il doit réduire les inégalités sociales. C'est du moins mon humble avis. Ne devrait-on pas mélanger les cartes à nouveau? Je rêve d'un gouvernement dont les ministres seraient réellement et plus souvent sur le terrain.

Non seulement pour faire des annonces destinées à faire briller le gouvernement mais pour aller à la rencontre des gens, à l'écoute de leurs expériences de vie et de leurs réels besoins, afin de prendre le véritable pouls de cette population, afin de pouvoir prendre les bonnes décisions. Ils ne seraient pas là seulement pour éteindre des feux…

Observant la dernière campagne électorale fédérale de 2015, ce que je vis fut souvent la même chose : un chef et des candidats derrière lui ou des engagements destinés à faire rêver, des projets souvent impossibles à réaliser, du moins dans un premier mandat : une culture politique figée. Rien de créatif, d'inventif. Uniquement des slogans souvent vides de sens. On cherche le clip pour les nouvelles du jour, pour les relayer dans les médias sociaux. Les médias vont trop vite. Les nouvelles devancent la réflexion. Et pourtant les citoyennes et citoyens ont besoin de croire en leurs politiciens, à une certaine proximité.

Justin Trudeau fut élu le 19 octobre 2015. Son intelligence émotionnelle, sa manière différente – à première vue – de faire de la politique, surtout en fin de campagne électorale, a porté fruit. Les Canadiennes et Canadiens jugeront bientôt ses décisions en lien avec ses engagements, son assurance au plan international et surtout sa gestion qui s'annonce *a contrario* de celle du gouvernement Harper. Jeune père de famille, il représente une génération émergente et une nouvelle image du Canada ; il sait émouvoir et c'est le cœur qui remporta la première manche.

Certains politiciens réussissent à développer des liens ténus avec la population, car ils aiment réellement les personnes qu'ils représentent. Pas uniquement lors d'activités de financement pour leur parti, ou lors des campagnes électorales, mais surtout lorsque ça va mal sur le terrain. On doit sentir qu'ils prennent des risques. Qu'ils sont prêts à recevoir des coups et à les défendre bec et ongles au sein de leur caucus. Car les citoyens eux, s'organisent. Ils sont en train de devenir un réel contre-pouvoir. Ils descendent carrément dans la rue et revendiquent des changements au niveau des orientations gouvernementales. Certes, les politiciens ont le désir de faire de la politique différemment, mais la culture organisationnelle interne est plus complexe qu'on ne le dit. C'est souvent le chef de cabinet ou les premiers conseillers du premier ministre – qui sont aussi des ministres – qui dirigent en grande partie. Bien sûr, le premier ministre prend des décisions, mais il n'a pas le temps de superviser les moindres détails. Les députés marchent en rang, dans des sentiers précis et délimités, selon un plan défini par la haute direction. Il n'est pas question de sortir de la case ni de donner son opinion. Les lignes sont écrites et transmises tous les jours. Ce ne sont que les ministres qui s'expriment; et encore! On craint la cacophonie, la dissidence. Le premier ministre doit parfois remettre « le dentifrice dans le tube » si un ministre a trop parlé ou s'il n'a pas osé parler et que cela occasionne un dérapage dans les médias. Et je sais qu'un premier ministre n'aime pas cela. Les ministres sont nommés pour protéger le premier ministre. Mais certains l'oublient. Même au caucus, les députés ont encore, parfois, une petite gêne pour exprimer totalement leurs idées. C'est que nous sommes observés, analysés. Nous sommes dans une cage de verre.

La vie fit en sorte que je ne terminai pas mon quatrième mandat de députée de Saint-Henri-Sainte-Anne. Plusieurs choses ont été dites ou écrites et non-dites. Elles ne sont pas forcément conformes à la réalité. Mais les histoires politiques sont souvent comme des secrets de famille. On lève le voile des années plus tard. Elles restent bien souvent à l'intérieur. Nous aurions envie d'ouvrir toute grande la bouche et de crier ce que l'on pense, tout ce que l'on sait, mais nous devons apprendre à gérer – selon certains décideurs en politiques – nos émotions. Comme disait ma mère : il faut tourner la langue sept fois dans sa bouche avant de parler. Les histoires politiques sont souvent le fruit de petites manipulations. À l'Assemblée nationale, c'est comme dans un palais, avec une cour et les sujets.

En réalité, je suis partie parce que mon mari est décédé et que je l'ai, comme vous le savez, accompagné, tout comme mon frère quelques mois auparavant. Par soucis d'éthique, j'avais consulté Jacques Saint-Laurent, commissaire à l'éthique et à la déontologie, qui m'avait affirmé que dans les circonstances et pour des raisons familiales, je pouvais quitter mon poste et prendre mon allocation de transition, ou si vous préférez, mon salaire différé. Cette allocation faisait d'ailleurs partie intégrante de mes conditions salariales au moment où j'ai été élue députée en 2007. Si elle ne convient plus lorsque les députés quittent en cours de mandat, qu'on modifie les règles du jeu. C'est d'ailleurs ce que proposait le Comité consultatif indépendant sur les conditions de travail et le régime de retraite des membres de l'Assemblée nationale ; il a déposé son rapport le 29 novembre 2013, à la suite d'une longue consultation avec les députés et des personnes reconnues pour leur compétence. L'allocation de transition et le régime de retraite seraient modifiés et le salaire des députés serait, entre autres choses, augmenté. Le gouvernement du Québec a déposé deux projets de loi en ce sens le 12 novembre 2015. La loi sur l'abolition des primes de départ fut adoptée avant la fin de la session de 2015. Celle sur l'augmentation des salaires des députés entrera en vigueur lors de la prochaine législature, soit à la suite des élections de 2018.

J'hésitai longuement avant de prendre ma décision. Je mis dans la balance les pour et les contre. J'eus préféré terminer mon mandat par respect pour les citoyennes et citoyens qui m'avaient élue, mais je m'en sentais incapable. Je n'avais plus la force de poursuivre… J'ai besoin que mes valeurs soient en harmonie avec mes actions. De plus, je me devais de me réinventer. Je me retrouvais seule à l'âge de la retraite et je ressentais une urgence à vivre différemment. Après le cancer de mon mari, comme s'il avait été mien, je tins à développer des projets qui me passionnaient, là où mes talents seraient mis à contribution et qui serviraient à faire avancer des causes sociales. Des projets m'aidant à survivre à mes récentes blessures, à ces deuils – même celui de la politique – qui laissent de profonds stigmates.

Je quittai des collègues de toutes les formations politiques. Des personnes de cœur, comme des personnes de raison. Je suis persuadée que dans un gouvernement, le premier ministre doit pouvoir compter à la fois sur des êtres rationnels mais aussi sur des êtres émotifs : une saine combinaison des deux. Les élections se gagnent ou se perdent aussi avec une ligne de cœur qui tient aux émotions. Les électrices et les électeurs veulent s'associer à des politiciens empathiques, pouvant se mettre dans leur peau et partager leurs valeurs et leur vécu, mais aussi à des êtres qui sauront les protéger, les soutenir. L'élément essentiel que j'aurai retenu de mon passage de huit années en politique est l'affection que plusieurs personnes – qui m'étaient parfois inconnues – m'ont manifestée en raison de l'amour que je porte à la cause des aînés et des proches aidants du Québec. Voilà sans doute ma plus grande satisfaction politique. Savoir toucher les gens en tant que proche de cœur.

Ma belle-sœur de cœur

« *La vie est comme une étoile. Il faut avoir touché la pointe des cinq branches pour prétendre au statut d'étoile* »

Rosette Pipar
Désir d'écrire essai intimiste, Rosette Pipar,
Marcel Broquet-La nouvelle édition (p.79)

Mes enfants : Cécilia, Carlos, Francisco

Carlos, Chiraz, Jean-Guy, Francisco, Cécilia

Johanne de Champlain, Richard Wilson et leurs enfants :
María Elena, Miguel, Manuel

Johanne de Champlain et Richard Wilson

J e n'aurais jamais imaginé devenir amie avec cette femme rencontrée dans son salon du West Island en 1986. Jean-Guy et moi étions depuis près de quatre ans sur la longue liste d'attente du Secrétariat à l'adoption internationale du Québec, l'instance gouvernementale responsable des adoptions d'enfants à l'étranger. Johanne de Champlain et son mari Richard Wilson devaient incessamment quitter le Québec afin d'aller chercher deux très jeunes enfants natifs du Pérou. Ils étaient déjà parents d'un fils qu'ils avaient précédemment adopté en Bolivie. Nous étions convenus d'un rendez-vous pour un dimanche après-midi, afin de faire connaissance. Nous-mêmes étions également sur le point d'aller chercher des enfants issus de la même famille que ceux que Johanne et Richard allaient adopter. Ils formaient une fratrie de cinq, mais le Pérou ne permettait pas l'adoption de plus de deux enfants par personne ou famille. Une infirmière québécoise, qui travaillait au *Hogar San Pedro* – centre de santé situé à quelques kilomètres de Lima à Ricardo Palma – était littéralement tombée sous le charme du deuxième enfant de la famille. Johanne et Richard avaient porté leur choix sur les derniers nés, âgés respectivement de 1 et 2 ans. Restaient Cécilia 7 ans et Carlos, le troisième, qui n'avait pas encore atteint l'âge de 5 ans.

Comme Jean-Guy et moi n'avions aucune exigence quant à l'âge des enfants, le Secrétariat à l'adoption internationale du Québec nous contacta. Il est toujours plus difficile de réussir à placer, aux fins d'adoption, des enfants qui ont dépassé l'âge de quatre ou cinq ans. Le but ultime était, pour ces familles adoptantes, de réunir la fratrie au Québec, afin de faciliter le contact entre les frères et sœurs. Cette fratrie désormais écartelée, nous avions l'obligation de construire des passerelles afin de faciliter les rapprochements entre les enfants. Nous sommes partis au début du mois de juin 1986 pour une durée de près de sept semaines. Jean-Guy resta un mois. Par la suite, ma mère vint me rejoindre pour prendre la relève et me soutenir.

Adopter des enfants était très compliqué. Les fonctionnaires péruviens s'imaginaient que nous étions tous très riches et prêts à tout donner pour obtenir un enfant. Il est vrai que nos moyens financiers étaient incomparables, relativement aux leurs. Une fois sur place, avec les enfants dans notre lit, les émotions se manifestent à fleur de peau. Il va de soi que nous avons déboursé au fur et à mesure du processus les sommes demandées, nettement supérieures à nos prévisions. Nous nous sommes pliés à leurs quatre volontés. Avions-nous réellement le choix si nous souhaitions repartir avec Cecilia et Carlos ? Mais un drôle de sentiment nous habitait : l'impression d'acheter des enfants ; ce qui n'était évidemment pas le cas.

Les Péruviens vivaient pauvrement. *Le Sentier Lumineux* – Partito Comunista del Peru – fondé à la fin des années 60 par

Abimael Guzman, professeur de philosophie à l'Université d'Ayacucho, faisait des ravages dans tout le pays. Ce parti communiste participa aux conflits armés des années 1980 et 1990, qui firent 70 000 victimes. Cette partie de l'histoire du pays nous marqua. Nous étions allés visiter Cuzco, splendide ville historique et muséale, berceau de la civilisation Inca, située au sud-est du pays, au milieu de la cordillère des Andes. De cette vallée sacrée, nous avions pris le train pour nous rendre au Machu Picchu, ancienne cité inca bâtie au XVe siècle à 2 400 m d'altitude, au milieu d'une forêt tropicale. Le lendemain de notre visite dans cette ancienne cité inca – laissant dans nos têtes des souvenirs impérissables –, un wagon du même train que celui que nous avions pris à l'aller, sautait, faisant plusieurs morts. Signature de Guzman, arrêté un 12 septembre 1992.

Durant notre séjour au Pérou, nous étions constamment sur la défensive : peur que nos adoptions ne puissent aboutir en raison de papiers soi-disant perdus en cours de route ou qui demeuraient introuvables, qui n'existaient pas, etc. Les fonctionnaires devaient en fabriquer de nouveaux et nous devions débourser les sommes exigées pour les obtenir.

À notre arrivée dans ce pays, on nous avait laissé partir avec Cécilia et Carlos à l'hôtel, mais sans papiers pour les identifier. Nous parlions très peu l'espagnol et nos enfants étaient Péruviens. J'avais le sentiment que les policiers pouvaient nous arrêter à n'importe quel moment et nous enlever les petits. Contrairement à Johanne qui séjournait chez les religieuses québécoises responsables des adoptions de bébés, nous ne pouvions rester tout le temps à l'hôtel à cause des frais que cela causait. Nous avions trouvé une pension chez le Signor Rodolpho à Miraflores. Sa femme lavait nos vêtements, les suspendait pendant quelques jours, mais il restait un fond d'humidité au moment de les porter. C'était la saison hivernale et la Garoua, cette brume humide et persistante comme un petit crachin, était omniprésente sur Lima. Nous mangions très souvent à la pension. Cette dame nous préparait des petits plats péruviens tout à fait exquis et savoureux. Nous accueillir permettait à ce couple d'avoir un peu plus de revenus pour vivre. Ils gardèrent d'ailleurs nos enfants pendant deux jours lorsque nous sommes allés à Cuzco, car il était difficile de nous déplacer avec les petits.

Je me sentis bien seule lorsque Jean-Guy retourna au Québec pour son travail. Heureusement que ma tendre mère est venue me retrouver afin de m'épauler et s'occuper de ses petits. À la suite de nombreuses démarches et moult obstacles en compagnie des enfants, nous finîmes par fouler le sol du Québec le 12 juillet 1986. Jean-Guy nous attentait. Nous étions littéralement habités par un sentiment de bonheur à l'état brut.

Quelque temps avant nos départs respectifs pour le Pérou, nous nous retrouvâmes tous ensemble dans le salon de Johanne. Force était d'admettre que nous serions appelés à former une famille, pour le mieux-être de nos enfants. Une famille d'adultes qui ne se connaissaient pas et des enfants d'une même fratrie à ressouder! Une famille dont les pièces s'assembleraient au fur et à mesure de nos rencontres et de cette fascinante découverte de tout un chacun. Comme dans toutes les familles, certains enfants, avec le temps, deviennent plus proches des uns que des autres et certains, hélas, s'éloignent.

La personnalité de ma belle-sœur de cœur me semblait diamétralement opposée à la mienne. Elle me faisait penser à une missionnaire. Dans les années 1980, elle travaillait en tant qu'infirmière à l'hôpital Reddy Memorial à Montréal. Elle devint effectivement une réelle missionnaire laïque au cours des dernières années, en effectuant plusieurs missions en Bolivie, au Pérou, en Inde et en Afrique. Aujourd'hui encore elle ne cesse de développer des projets, notamment des collectes de fonds, afin de soutenir les plus démunis dans des pays où la pauvreté touche de plein fouet les populations locales. Elle vend de jolis bracelets tissés par des enfants boliviens afin de les aider financièrement. Elle assiste des médecins, dentistes et ophtalmologistes dans leurs missions. Elle transporte du matériel. Un réel cœur sur deux pattes.

Dans les années 1980, il existait très peu de services d'accompagnement de parents souhaitant adopter des enfants à l'international. Johanne, à titre de bénévole, faisait le lien entre le Secrétariat à l'adoption internationale du Québec et certains pays d'Amérique du Sud. Richard, Johanne et leur fils d'origine bolivienne, partirent peu avant nous, afin d'aller quérir leurs deux petits trésors. À son retour du Pérou, Johanne devint spécialiste en matière de pré et post-adoption internationale. À l'instar d'autres professionnels de la santé – en l'occurrence mon ami le docteur Jean-François

Chicoine, pédiatre à l'hôpital Sainte-Justine – ayant examiné nos enfants le lendemain de leur arrivée au Québec, elle s'investit totalement, afin de former et d'outiller les parents adoptants.

Toutes les deux, nanties de quelques informations embryonnaires, nous étions lancées, tête la première, dans l'aventure de toute une vie. Ces enfants venus d'ailleurs ont souvent des défis d'attachement et les parents qui adoptent se sentent désemparés face à certaines situations auxquelles ils ne savent trop comment réagir. Certains parents se sentent incapables de poursuivre cette route, placent leur enfant en foyer d'accueil ou les les renvoient dans leur pays d'origine. D'où l'importance de recevoir une formation avant de partir et un suivi au retour.

À leur arrivée au Québec, nos enfants cachaient de la nourriture dans les tiroirs de leurs commodes. Il n'était pas rare d'y trouver une cuisse de poulet et des raisins. Ils avaient eu faim. Ils avaient souffert de tuberculose et de malnutrition. C'est la raison pour laquelle ils avaient été soignés au *Hogar San Pedro*. Alors Jean-Guy préparait d'énormes plats : couscous, paëlla, bouilli québécois, pâté chinois, etc. qu'il déposait au centre de la table où nous pouvions nous resservir jusqu'à satiété. Bien d'autres comportements inhabituels pour nous rendaient notre vie stressante : Carlos, par exemple, se lançait tête la première devant les automobilistes et je devais freiner sa démarche en le rattrapant très rapidement. Je devenais terriblement nerveuse. Nous avons tous les deux consulté en psychiatrie à l'hôpital Sainte-Justine afin, pour ma part, de mieux développer mes habiletés de mère sécurisante et Carlos pour dénouer ses petits nœuds sur le cordon de sa vie. Le docteur Albert Plante, qui a suivi Carlos, fut significatif sur nos parcours de vie. Nous n'étions pas seuls dans ce cas. Johanne vécut, elle aussi, des événements difficiles avec ses enfants, qui demandèrent beaucoup de doigté. Notre Guatémaltèque d'origine est arrivé en 1989. Plus âgé que Cécilia de quelques mois, son adoption fut de plus courte durée, mais le sentiment d'insécurité et d'abandon fut le même. Nous avons beaucoup travaillé pour que notre petit bonhomme de onze ans réussisse à s'épanouir.

Au tout début, Johanne et moi n'étions pas particulièrement proches l'une de l'autre. De temps à autre nous nous réunissions pour des anniversaires ou pour célébrer les fêtes de Noël. Un jour, nous avons reçu une offre pour publier un livre dans un collectif d'auteurs (*L'enfant dans l'adoption*, Petite collection, enfances et psy, éditions Érès, 2006). Nous fîmes le choix d'écrire en tandem. Johanne me livrerait un bout de son histoire via Internet et à partir de son texte, j'écrirais un bout de la mienne et lui restituerais mes notes. En lisant ce que Johanne vivait, surtout ce que je ne savais pas sur elle – ses manières d'agir dans l'adversité ou de réagir face à ses enfants – je me sentis « partie prenante » de cette femme. Nous faisions corps. Je me suis mise à l'aimer ; elle était devenue mon amie. Nous avions mis nos enfants au monde avec notre cœur, notre âme et notre résilience pour que l'amour que nous leur portions passe en premier et que cet amour transcende tous les obstacles sur nos routes. Nous avons commencé à réellement nous fréquenter. Cette femme généreuse donnait tout ce qu'elle possédait. En 2008, son mari Richard, associé depuis plus de vingt ans chez Deloitte, un cabinet de services professionnels, a quitté son travail. Johanne et lui suivirent ensemble un programme de certificat en coopération internationale à l'Université de Montréal. Ils apprirent et peaufinèrent la langue espagnole et leurs valises faites, quittèrent le Québec pour la Bolivie. Richard avait obtenu le poste de directeur-pays d'Oxfam-Québec pour les projets de développement en Bolivie et au Pérou. Johanne travaillait bénévolement dans un hôpital pour enfants brûlés. Elle amassa également des fonds nécessaires à pourvoir la pouponnière d'équipements adéquats. Je les admirais en me disant que je serais incapable de tout laisser tomber pour ainsi partir à l'étranger durant plusieurs mois. Leurs enfants étaient désormais grands. Ils revenaient au Québec de temps à autre.

Près de deux ans plus tard, ils étaient de retour à la maison. Johanne, qui avait pris sa retraite avant son départ pour l'Amérique du Sud, outre de nombreuses missions à l'étranger, devint bénévole auprès des enfants malades au *Montreal Children's Hospital* et l'est encore aujourd'hui. Quant à Richard, il assure depuis, le poste de directeur exécutif, Finances et Administration de la Fondation *One Drop,* créée par Guy Laliberté du Cirque du Soleil.

J'étais alors bien engagée dans les rouages de la vie politique. Jean-Guy et moi avions vendu notre condo dans la Petite Bourgogne. La distance entre notre maison et le centre-ville de Montréal était devenue un poids pour mes activités politiques. En campagne électorale, je dormais et mangeais très souvent chez Johanne et Richard. Ils m'hébergeaient dans leur condo de Saint-Henri-Sainte-Anne. Johanne, excellente cuisinière, préparait de petits plats, tous plus copieux et exquis les uns que les autres. À l'instar de Jean-Guy, elle en préparait également pour ses enfants et petits-enfants. Lorsque Jean-Guy fut malade, je dormis à quelques reprises chez elle. Surtout lorsqu'il était hospitalisé au CHUM de Notre-Dame. Je venais me reposer quelques heures durant la nuit et me doucher. Elle me glissait des fruits et des barres tendres dans mon sac à main ainsi que des parfums et des crèmes pour atténuer ma peine. Elle rendit visite à Jean-Guy tout au long de l'évolution de sa maladie et lui prépara des muffins. Elle était présente pour m'épauler. Une fois Jean-Guy décédé, elle savait que j'étais perdue. Elle me préparait des pâtés au poulet, des tagliatelles au canard, des macaronis chinois, et autres petits plats. Elle m'offrait des présents et me dorlotait.

Je réalise aujourd'hui la chance d'avoir une telle personne dans ma vie, une missionnaire de cœur et une amie pour la vie. Non seulement nos enfants nous ont réunies, mais ils ont tissé une toile de belles-sœurs de cœur.

Mes émissions « coup de cœur »

« Le cœur a ses raisons que la raison ne connaît
point; on le sait en mille choses. »

Blaise Pascal (1623-1662)

Marguerite Blais, Eddy Marnay,
Jean-Guy à Paris

Alvaro Cournoyer, Patricia Kaas, Marguerite Blais
au lancement d'un de ses disques

Cardinal Paul-Émile Léger et Marguerite Blais, coanimatrice
de la soirée de Gala des grands Montréalais,
le 8 novembre 1990

Marguerite Blais, animatrice
à la radio de CJMS en 1976

Marguerite Blais, animatrice

Marguerite Blais en compagnie de Michel Fugain

Il va sans dire que la période où j'ai œuvré dans le domaine de la radio et de la télévision a marqué mon existence, pour ne pas dire ma trajectoire. On ne peut y travailler pendant près de trente ans sans avoir un véritable sceau de vie. J'ai adoré me retrouver sur des plateaux de télévision, dans des studios de radio et d'enregistrement, alors que ma voix était utilisée pour des publicités ou pour les émissions d'Air Canada. J'aime l'odeur calfeutrée qui se dégage lorsque j'y entre. Je me sens à l'aise avec les techniciens qui participent et façonnent le succès des artistes sous les projecteurs. Ce sont des professionnels de l'ombre qui éclairent notre visage sur son meilleur jour. Certains ajustent l'audio, afin de maximiser l'effet idéal pour que les voix s'harmonisent et soient moins rocailleuses; d'autres – maquilleurs, coiffeurs – nous donnent un aspect de magazine *Vogue,* les habilleuses, elles, dénichent des vêtements à la dernière mode et les caméramans projettent notre reflet pour les téléspectateurs, comme si nous étions dans leur salon, leur cuisine voire leur chambre à coucher. Et puis, les réalisateurs auxquels revient le rôle de coordonner l'équipe et qui apprennent à nous connaître sous différents angles. Enfin, les producteurs, eux, doivent ajuster le budget et souvent modifier certains éléments de l'émission pour qu'elle obtienne un succès d'écoute.

Dans ce milieu, j'ai côtoyé des personnes magnifiques et souvent magiques. De véritables artistes. Des instants de grâce et de bonheur à l'état pur. Je n'entrerai pas dans les détails de chaque série que j'ai eu le privilège d'animer dans différentes stations de télévision et de radio, mais je me souviens ici de certains passages intenses…

C'est à CIME-FM, qui était situé à Saint-Adèle dans les Laurentides, que je rencontrai mon patron, devenu mon ami et mon mari. Il m'avait aperçue lors de *La Fête Continue,* le spectacle de la Saint-Jean sur le Mont-Royal en 1976. Je travaillais alors à CJMS, une station radiophonique des plus populaires puisque numéro 1. Je devais réaliser un reportage sur cet événement marquant le début du solstice d'été. Jean-Guy enregistrait le spectacle *5 Jean-Baptiste* devant la scène du lac aux Castors, qui mettait en vedette Jean-Pierre Ferland, Yvon Deschamps, Claude Léveillé, Robert Charlebois et Gilles Vigneault. Lui m'avait vue et son cœur s'était mis à battre la chamade. Plus de 300 000 personnes assistaient au spectacle de la veille de la Saint-Jean (La Presse, 24 juin 1976, p.1). Récemment, j'ai retrouvé nos deux accréditations en tant que professionnels, afin de pouvoir travailler sur le site lors de ce spectacle à grand déploiement. Lorsque je quittai CJMS (Radio-Mutuel) – pour ne pas avoir à franchir les piquets de grève en 1977 – je fus embauchée pour la saison estivale à CIME-FM en 1978. Jean-Guy, alors responsable de la qualité de mon travail, m'enseigna la manière d'opérer une console, de sélectionner les disques pour ma programmation musicale, de chercher les nouvelles pour diffuser les bulletins d'information et de météo. J'étais devenue une femme-orchestre, faisant aussi la recherche pour son émission quotidienne diffusée en direct de 9 heures à midi, du lundi au vendredi. Ce fut une expérience unique et formatrice. La seule où je faisais tout en même temps, tel un jongleur. Cela demande beaucoup de concentration et de coordination pour parvenir à réussir adroitement à ne pas perdre le fil des minutes, à ne pas oublier de programmer les publicités bien sûr, puisqu'elles font vivre la station.

Un jour, Jean-Guy entra en studio, une cigarette au bout des lèvres. Je lui dis carrément d'aller fumer ailleurs. Ce fut son dernier jour en tant que fumeur. Il avait saisi que s'il voulait me conquérir, il devait faire le nécessaire pour y parvenir. Il changea ses lunettes, collées avec du ruban adhésif, il perdit passablement de poids, se procura un parfum au vétiver et modifia sa tenue vestimentaire. Le 30 décembre de la même année, nous convolions en justes noces…

CJMS avait été une expérience faste. J'étais le bébé de la station. Serge Bélair était le *morning man* et moi, chroniqueuse à la circulation. À l'époque, nous survolions la ville de Montréal à partir de l'aéroport de Saint-Hubert à bord d'un Cessna. Malheureusement, j'avais le mal de l'air et cela n'aidait pas ma cause. En 1975-76, tout comme aujourd'hui, ma tignasse était blonde et frisée. Serge Bélair avait osé dire en ondes que mes cheveux étaient ébouriffés et que j'aurais besoin de shampoing… Un distributeur d'une marque connue déposa une caisse de douze bouteilles de shampoing à la station de radio de la rue Berri, pour me faire rire sans doute. Je coanimais également l'émission *Balconville*. Nous prenions en otage une partie de rue, différente chaque semaine. Nous nous installions sur le balcon en colimaçon d'une maison, avec la famille qui nous recevait avec générosité ; les artistes venaient faire du *lipsing* sur leur tube inscrit au palmarès des dix meilleurs numéros de la semaine. Les gens des environs se rassemblaient dans la rue à l'image des spectacles majeurs qui se déroulent pendant l'été à l'extérieur des villes du Québec. Que j'aimais cette émission festive comme un divertissement en haut d'un édifice, nous permettant de croiser des gens hospitaliers ! J'ai retravaillé plusieurs années plus tard, le matin, coanimant avec Serge Bélair *Vedettes en direct* à CKVL. C'est Danielle Ouimet qui a pris la relève pendant les quatre autres années que dura l'émission, alors que je quittais CKVL pour la télévision à TVA. Mon patron et propriétaire de la station était Pierre Arcand, aujourd'hui ministre dans le gouvernement de Philippe Couillard. Le monde est bien petit ! J'ai travaillé avec Pierre Arcand dans le gouvernement Charest et je peux affirmer que cet homme, financièrement autonome, est d'une immense simplicité et d'une grande générosité.

Il m'est arrivé de remplacer Suzanne Lévesque, en particulier lors de périodes de vacances. Elle était la reine des ondes à CKAC[16]. Souvent drôle, elle pouvait aussi se montrer incisive avec ses invités. Elle était vive et curieuse de tout connaître de ce qui se tramait sur la personne qui lui faisait face. Un jour où je la remplaçais, l'invitée principale était Mitsou Gélinas. J'aimais beaucoup cette femme et sa fraîcheur. Nos pommettes saillantes respectives nous donnaient des airs de famille. Je ne

---

16. CKAC : station de radio de Montréal, diffusant actuellement sous le nom de « Radio Circulation 730 ».

sais trop ce qui m'a pris ce jour-là, mais je lui avais apporté un magnifique canotier ancien, agrémenté de cerises rouges. Ce chapeau, suspendu à mon paravent, alluma immédiatement le regard de la belle Mitsou Gélinas, femme sensible, délicate et lumineuse.

Puis en 1979, je voguai sur les ondes de la radio de Radio-Canada. Jacques Lalonde réalisait l'émission matinale et m'avait demandé, à quelques reprises, de remplacer Francine Grimaldi pour commenter l'actualité artistique. Je me souviens de Joël LeBigot, tout un personnage en soi et un splendide animateur. Conservant son franc parlé, il faisait preuve d'un charme à l'état brut.

Lorsque Jacques Lalonde a quitté l'émission matinale pour mettre sur pied *À votre service* sur les services à la communauté, il me prit sous son aile. Cet homme m'a beaucoup aidée. Il était non seulement un réalisateur, mais un véritable mentor. Il me poussait à me dépasser et à réaliser mes propres chroniques sur les aînés. Grâce à lui, trois ans plus tard, je coanimais l'émission. J'adorais cette heure où je rencontrais des personnes issues de la communauté et qui mettaient en place des services toujours existants aujourd'hui. Je pense entre autres à Hubert de Ravinel qui implanta, au Québec, le modèle français des *Petits Frères des Pauvres*. Aujourd'hui, l'organisme les Petits Frères représente une œuvre sociale d'une grande importance. On se préoccupe de la solitude des personnes âgées seules et souvent sans famille. Cet organisme remarquable, je le porte depuis des années dans mon cœur. J'en ai été la marraine pendant trois ans et très souvent je suis présente pour leurs événements de Noël et de Pâques. Durant cette période, j'ai interviewé Monique Giroux. C'était, selon mes souvenirs, sa première entrevue à la radio. Depuis, elle est une grande animatrice de nos ondes radiophoniques. J'admire cette femme, à mes yeux une battante et une grande défenderesse de la chanson québécoise et française.

J'eus aussi l'immense privilège de rencontrer, à plusieurs reprises, Jacques Languirand. Que de fous rires, que d'humour brillant et que d'amplitude dans ses nombreux talents! La réalisatrice de l'émission *Par quatre chemins,* Henriette Talbot, épousa Jacques Lalonde. Tous deux se sont connus en travaillant ensemble à la réalisation et la conception de certaines émissions. L'émission *À votre service* me propulsa dans l'univers accéléré des médias et dans la connaissance des aînés.

En parallèle, je coanimais une émission matinale à Télé-Métropole. Au début, j'étais le faire-valoir de l'animateur-comédien Yves Corbeil, mais je pris rapidement ma place. J'ai beaucoup appris avec lui. L'émission *Bonjour Matin* était diffusée en direct; nous devions par conséquent, impérativement être présents. Yves me jouait parfois des tours. Il arrivait sur le plateau quelques minutes en retard et je devais me débrouiller seule. Il imitait de célèbres personnages, tel le Cardinal Paul-Émile Léger et je devais lui donner la réplique. Ce fut une école fabuleuse.

Jacques Languirand tenait une chronique hebdomadaire. Un jour, il m'offrit un magnifique cristal en forme de flocon de neige, que je chéris toujours. Cette marque d'attention m'émut profondément. Lorsque les tempêtes de neige empêchaient les invités d'arriver jusqu'au studio d'enregistrement, Yves allait chercher Édouard Remy dans les corridors et celui-ci nous parlait de tout ce qui se passait sur la scène artistique. Il était au spectacle ce que Jean Lapierre est à la politique : prolifique en cancans et en connaissances de toutes sortes. C'était aussi la naissance de la Ligue nationale d'improvisation (LNI) ; des improvisations dans la veine de celles des Olivier Guimond et Gilles Latulippe. Je tins d'ailleurs durant deux mois, un rôle dans la pièce *Le sexe shop* écrite par Gilles Latulippe et sous sa direction au Théâtre des Variétés. Il était très sérieux au travail et un excellent directeur artistique. Je partageais la loge de la célèbre Manda Parent, artiste de burlesque, comédienne et humoriste, née en 1907 et décédée en 1992. Elle était si drôle. Dans l'un des numéros, elle devait improviser pendant deux minutes. Au fur et à mesure, avec le temps, les deux minutes se transformèrent en dix minutes. Elle faisait craquer le public, toujours nombreux.

Au bout de trois ans de *Bonjour Matin,* qui avait été précédé de *Bien Le Bonjour,* je quittai Télé-métropole pour TQS, afin d'animer une émission coup de cœur *Marguerite et compagnie* avec Claire Caron (marraine de mon fils Francisco) ; cette émission quotidienne spectaculaire s'est prolongée durant deux ans. De nos jours, il serait difficile de réunir les Jacques Languirand, Edgar Fruitier, Julie Snyder, Sœur Angèle, Docteur Jean-François Chicoine, Claude Jasmin, et bien d'autres.

Julie Snyder, entre autres personnes, nous impressionnait. Elle préparait sa chronique et faisait son propre montage.

Productrice en herbe, elle nous épatait toujours par ses sujets diversifiés et très populaires. Une véritable boule d'énergie. Nous savions tous qu'elle irait très loin.

Sœur Angèle mijotait des petits plats. C'était bien avant la mode des chefs à la télévision. Sœur Angèle faisait office de précurseur. Je la regardais s'amuser et chanter en coupant ses légumes et je l'admirais ; car enfin cette religieuse vénitienne possède un sens de l'humour et du spectacle tout autant qu'une profonde spiritualité.

Que dire de ce très grand comédien et mélomane Edgar Fruitier, capable de proposer les nouveautés des disques classiques tout en faisant de la pédagogie claire et parfaitement accessible. L'écrivain Claude Jasmin animait quant à lui une chronique sur les événements de la vie quotidienne, à l'instar d'un véritable éditorialiste. Un jour, alors qu'il parlait des juifs hassidiques vivant à Outremont et de leurs coutumes, sa chronique fit grand bruit et souleva l'ire de certains groupes en lien avec la communauté juive.

Je partageais cette émission avec Claire Caron. Elle était toujours souriante, brillante, saisissant son rôle, apparemment secondaire mais pourtant essentiel. Sa personnalité rehaussait cette émission de services et nos deux personnalités concouraient à son succès. Claire a disparu du petit écran ; celle qui fut pendant sept ans journaliste aux pages culturelles du Journal de Montréal puis à CKAC, TVA et TQS est aujourd'hui écrivaine et auteure. *Marguerite et compagnie* a aussi disparu des ondes :

produire une émission avec cette qualité de chroniqueurs et d'invités coûtait très cher.

Pendant que j'animais *Marguerite et compagnie* à TQS, je coanimais également *Visa Santé* au début, avec le docteur Fernand Tarras puis par la suite, le docteur Yves Lamontagne à Télé-Québec. L'émission était tout à fait différente par sa nature, mais elle visait à renseigner les téléspectateurs sur les différentes façons de prévenir certaines maladies et de prendre sa santé en main. Je vivais alors mes années fastes en tant qu'animatrice à la télévision.

Je me souviendrai toute ma vie de l'émission quotidienne *Des mots pour le dire*, sur le réseau TVA; je la coanimais avec la sexologue Louise-Andrée Saulnier. Autant j'étais prude, autant elle, était ouverte. C'était la première série sur la sexualité à la télévision. Nous étions à la fin des années 1980. Huguette Proulx avait tenu la barre d'une émission similaire à CJMS pendant de nombreuses années, mais à la télévision, c'était une première. Toutes les entrevues pour lesquelles je devais, d'entrée de jeu, faire parler les gens sur leur sexualité… Que c'était difficile! Tellement de tabous, tant de misères. Et je pense que nombre de ces tabous persistent de nos jours. Toutes les difficultés que les personnes éprouvaient si elles étaient homosexuelles; elles devaient se cacher. Et c'est encore souvent vrai! Parfois elles vivent dans de petits villages et sont montrées du doigt; d'autres fois, elles sont victimes de valeurs culturelles différentes. Des personnes issues de l'immigration récente et vivant au Québec par exemple, subissent l'interdit de leur homosexualité. Aujourd'hui encore, les transsexuelles/

transgenres vivent dans l'intimidation. Toutes ces personnes atteintes de paraphilie[17] « doivent » se faire soigner, car il est évident que les déviances n'ont pas leur place dans la société. J'ai entendu tellement d'histoires sur le voyeurisme et autres perversions sexuelles. Sincèrement, je ne riais pas. J'étais triste. Mais j'ai aussi interviewé des personnes épanouies sexuellement !

Pouvons-nous parler de personnes normales ? Mais qu'est-ce que la normalité ? Je n'ai jamais jugé qui que ce soit. J'ai souvent croisé des humains très souffrants, victimes de violence physique, psychologique, d'abus sexuels dans leur enfance, ayant de la difficulté à nouer des liens affectifs... J'ai compris que pour être heureux dans la vie, on passe par l'épanouissement d'une relation sexuelle. Bien qu'on puisse aussi faire le choix d'une totale chasteté, pourvu qu'elle soit en harmonie avec notre choix. En fait, tout se passe dans la gestion de nos pulsions, de nos désirs, dans la manière de conserver son équilibre au sein d'une relation sexuelle, afin qu'elle fasse partie intégrante de l'amour et du bonheur, du partage de soi avec celui ou celle qu'on souhaite rendre heureux. Quand on s'investit dans l'amour, la sexualité s'habille d'un doux manteau charnel, grâce à l'accouplement de deux êtres se donnant l'un à l'autre dans le plus grand respect, sans crainte de s'abandonner, sans se blesser.

C'est grâce à cette émission que je remportai le *Métrostar* de l'année en 1991 en tant qu'animatrice d'émissions de

---

17. La paraphilie est l'ensemble des attirances ou pratiques sexuelles qui diffèrent des actes traditionnellement considérés comme « normaux » ; les pratiques elles-mêmes sont souvent classées comme des délits ou des crimes sexuels dans différents pays.

services. J'aurais dû partager mon trophée avec Louise-Andrée Saulnier. Je le lui dédie aujourd'hui. Elle est une excellente sexologue et une amie malgré la distance qui nous sépare. J'ai beaucoup évolué sur ce plateau de télévision à l'écoute des partages intimes de la vie des gens. Cette série était enregistrée depuis la ville de Sherbrooke, très accueillante.

Un autre coup de cœur fut pour moi *Comme on est* à la télévision de Radio-Canada. Je me suis attachée à notre producteur Daniel Brouillette, directeur actuel des radios de Cogeco Diffusion Rythme FM 100,1 et 106,9 FM à Trois-Rivières. C'est une personne de cœur et très intègre. Il avait embauché Ricardo Larrivée en tant que coanimateur. Pour une raison encore inconnue, notre entente n'a pas fonctionné. Je manquais sans doute de patience. Mais cela ne m'empêche pas de me réjouir de son immense succès et de sa réussite. C'est un homme vaillant qui souhaitait par-dessus tout faire de la télévision. Bravo Ricardo. *Comme on est* était une quotidienne de type émissions de services dans laquelle plusieurs invités, en lien avec le thème du jour, se prêtaient au jeu. On s'amusait beaucoup. Les recherchistes étaient importants, car ils contribuaient au succès de l'émission par le choix très sélectif des invités. Les enregistrements étaient conçus à partir de Trois-Rivières. Ce qui eut pour conséquence de m'obliger, à plusieurs reprises, à dormir dans différents hôtels de Sherbrooke ou de Trois-Rivières.

Je pourrais aussi glisser un mot sur *Le monde dans votre assiette* : émission hebdomadaire que je coanimais avec Jean-Louis Thémis, aujourd'hui chef enseignant à l'Institut de tourisme et d'hôtellerie du Québec. Jean-Louis est originaire de Madagascar. Il cuisinait avec des chayottes[18]. Dans les années 90, c'était l'éveil des chefs, des sens et des saveurs. L'émission avait pour but de faire connaître la cuisine du monde. Chaque tournage était effectué dans un lieu différent. Je me souviens de cette émission tournée chez Lapidarius (antiquaire et joaillier réputé) avec Maged Taraboulsy, Égyptien d'origine. Nous avions cuisiné des mets typiques de son pays natal, entourés de bijoux et d'antiquités de toutes sortes. Cette ambiance était hallucinante. L'invité participait aux émissions. Cette série ne dura qu'une année, mais l'expérience en valait la chandelle.

Les nombreux téléthons ponctuèrent également ma carrière télévisuelle. Celui de Jean Lapointe agissant pour la maison Jean Lapointe qui propose des services de traitement et de réadaptation aux alcooliques, ou de la *paralysie cérébrale* avec Serge Laprade, de la *dystrophie musculaire* avec Rémy Girard ou encore du Téléthon des Étoiles, pour soutenir la recherche sur les maladies infantiles. Des parcours de 24 heures d'affilée donnant tout son sens à la télévision en direct. Ces moments font aujourd'hui partie de mon passé mais j'adorais travailler ainsi. Je n'étais jamais fatiguée.

Je pourrais poursuivre ainsi sur mes émissions coup de cœur, mais je pense qu'il est sage de m'arrêter ici et de conserver dans ma boîte aux souvenirs les moments les plus marquants et les plus audacieux. J'ai aujourd'hui tourné une page de près de 30 ans, car ainsi va la vie, la vie.

---

18. Chayotte : plante vivace de la famille des cucurbitacées, cultivée sous climats chauds comme plante potagère ou pour son fruit comestible à maturité.

Mon dragon de cœur

« Les livres parlent à l'esprit ; les amis au cœur ;
le ciel à l'âme, tout le reste aux oreilles »

Proverbe chinois, Livre de la sagesse chinoise (1876*)*

Louise Deschatelets, Gaétan Frigon, Marguerite Blais
lors d'une soirée bénéfice en 1987

Ginette Reno, Marguerite Blais,
Michel Louvain au Gala Métrostar

Marguerite et son triporteur avec Cécilia et
Carlos alors qu'elle est porte-parole de Métro

Gaétan Frigon et Marguerite Blais

Certains disent qu'il n'y a pas de hasard dans la vie. Mais il existe des éléments déclencheurs qui font changer le cours des choses sur une trajectoire de vie. Tu croises une personne qui devient significative, qui écrit une page de ta vie et à laquelle tu t'attaches…

Jean-Guy et moi vivions à Pierrefonds depuis quelques années déjà. Sur la propriété, dans la cour arrière, se dressait un magnifique cerisier et une véritable serre permettait de faire pousser des plantes, des légumes et des fleurs. Ce sont ces deux éléments qui m'avaient réellement accrochée lorsque nous avons acquis cette propriété, en banlieue de Montréal, dans un environnement qui nous était jusqu'alors totalement inconnu. D'ailleurs, c'est grâce à cet emplacement que j'ai commencé à faire de l'équitation à Saint-Lazare. Ce n'était pas trop loin de la maison et cela me permettait de m'évader. J'étais envoûtée par les chevaux de la famille Kieffer dont l'un des fils m'enseignait à monter la selle anglaise. Si, comme tout cavalier, même débutant, je brossais et étrillais mon cheval, j'avais commencé à sauter de petits obstacles, à galoper et à apprendre tout ce qui entoure cette passion sportive. Le cheval fait corps avec celui qui le monte et c'est ce qui rend cette pratique en duo si fascinante. J'avais vendu la maison de ma grand-mère au 781 rue Fulford – aujourd'hui rue Georges-Vanier – maison que j'ai beaucoup regrettée par la suite et dont l'emplacement est situé dans la Petite-Bourgogne. Mes racines profondes étaient ancrées dans l'univers de la Pointe-Saint-Charles et de cet autre quartier, celui des Noirs, avec lesquels je m'étais liée d'amitié depuis ma plus tendre enfance.

Mais lorsque j'épousai Jean-Guy, lui désirait vivre ailleurs. Il préférait en effet faire son lit douillet dans une autre maison que celle où j'avais vécu en compagnie de mon précédent amoureux qui avait rénové cette ancienne maison de chambres. Elle avait été achetée par ma grand-mère et mon père. Alors qu'il était dans le Royal 22e Régiment d'infanterie des Forces armées canadiennes durant la Seconde Guerre mondiale, il reversait sa solde de l'armée à sa mère. Ma grand-mère Joséphine habitait alors dans une pièce et louait les autres. Dans le passage, un petit poêle à gaz à deux ronds servait à l'ensemble des chambreurs. Une seule salle de bains profitait à toute la maisonnée. Aujourd'hui, cette résidence vaut son pesant d'or puisque située à proximité d'une bouche de Métro, dans l'un des quartiers prisés de Montréal. Au fil des ans, elle a été rénovée à plusieurs reprises. Richard, mon précédent conjoint, avait réussi une transformation habile et chaleureuse avec cette maison de chambres. Quand je l'ai vendue, elle était élégante avec ses murs de briques et planchers de bois d'origines. Il m'arrive encore de croiser des personnes qui furent parfois de passage à la maison et qui m'en parlent. En 1985, nous arrivâmes à la conclusion que nous devions mettre notre maison de Pierrefonds en vente, car je rêvais de vivre à Outremont.

Les allers-retours depuis notre travail à Montréal jusque dans le West-Island nous semblaient interminables. J'avais repéré mon petit bonheur à flanc de montagne sur la Côte-Sainte-Catherine. Fleurette, l'agente immobilière, pensait que je n'aimerais pas cette demeure, car elle était construite selon de nouvelles normes, extrêmement moderne et à aire ouverte. Mon cœur se mit à battre et à vibrer très fort. Je n'avais aucunement envie de rénover une vieille maison. Je souhaitais entrer dans mon sanctuaire comme dans des babouches brodées.

Cette maison était magnifique, suspendue à flanc de montagne, élancée comme un mannequin, tout en longueur et en finesse. Planchers de bois franc verni couleur paille, cuisine blanche laboratoire, fenêtres pouvant accueillir des rideaux de dentelle permettant de jouer sur les contrastes de la modernité, portes patio à la française, foyer noir à la verticale donnant l'illusion de diviser symboliquement la salle à manger du salon… Les chambres étaient superbes avec une large fenestration qui laissait entrer la lumière. Elles étaient au deuxième étage avec deux salles d'eau. Déjà, j'imaginais une décoration pour chambres d'enfants. Au sous-sol, nous avions un espace suffisant pour reconstruire un studio d'enregistrement. Malheureusement, le prix demandé ne correspondait pas à nos capacités de payer, mais j'étais enivrée par ce lieu. Je la désirais plus que tout, telle une amoureuse qui ne sait pas comment se contenir.

Je me souviens d'avoir rédigé l'offre d'achat au Bilboquet de la rue Bernard, célèbre pour ses glaces et sorbets aux arômes et essences différents et aux saveurs onctueuses ou rafraîchissantes. Notre offre d'achat fut acceptée entre deux glaces. Mais la maison de Pierrefonds n'était pas encore vendue. Nous commencions à paniquer. Puis la chance nous sourit enfin. Elle fut finalement vendue, en dessous du prix demandé, à un Canadien de l'Ouest qui devait rapidement s'installer au Québec pour son travail. Notre acheteur emménageait le jour même de notre déménagement pour Outremont. C'était un non-sens. Un coup de téléphone à mon Dragon de cœur – le propriétaire de la maison d'Outremont – afin qu'il nous permette de bénéficier d'une autre journée et la cause fut entendue. Il a immédiatement acquiescé. Je le trouvai tellement sympathique que je l'invitai à la maison pour un dîner, ce qu'il accepta et vint en compagnie de Louise, à cette époque sa femme et mère de ses enfants. Gaétan travaillait pour « Franchise Plus » une filiale de Steinberg. Il avait élaboré le concept des dépanneurs *La Maisonnée*. Lors de nos échanges durant le repas, je lui dis très naïvement que je magasinais chez Métro, parce que le propriétaire me parlait en français et offrait gracieusement du café à ses clients qui entraient. Je lui décrivis un accueil convivial. Au fil de mes visites dans ce Métro de Pierrefonds, ce marchand me faisait goûter à de nouveaux produits (saumon fumé et autres arrivages).

Jean-Guy et moi avions donc un studio d'enregistrement dans notre sous-sol de maison : nous avions en effet obtenu un contrat pour réaliser les émissions musicales diffusées dans les avions d'Air Canada, une entente qui dura quatorze ans. J'étais titulaire de la seule émission entièrement consacrée aux artistes francophones, comprenant chansons et entrevues. J'eus la chance d'interviewer entre autres Gilbert Bécaud, Charles Aznavour, Francis Cabrel, Jean Ferrat, René Simard, Céline Dion, Eddy Marnay, Nana Mouskouri, pour n'en nommer que quelques-uns.

En discutant avec mon marchand Métro, je réussis à lui vendre l'idée d'enregistrer la musique qui serait diffusée uniquement à l'intérieur de son magasin, de faire des annonces de produits vedettes qui seraient incorporées à la bande musicale et une fois par semaine, de cuisiner sur place avec un chef qui ferait des démonstrations de recettes. Ce fut un beau succès. Puis, au cours de la conversation avec notre invité Gaétan Frigon, mon Dragon de cœur, après lui avoir énoncé les raisons pour lesquelles je fréquentais Métro et pas Steinberg, j'insistai largement sur le fait que cette grande chaîne d'alimentation était francophone et que je croyais fermement que si nous souhaitions devenir indépendants un jour, nous devions tout d'abord l'être économiquement.

Nous prîmes possession de notre magnifique petit paradis dans un quartier bien différent de ceux de la Petite-Bourgogne et de Pierrefonds. J'étais la voisine de Édith Butler, la célèbre chanteuse acadienne, une femme passionnante et généreuse qui, à quelques reprises, garda nos deux premiers enfants, Cécilia et Carlos. Le soir de l'Halloween, Édith se déguisait en lapin et accueillait les tout-petits du quartier qui sonnaient à sa porte, eux aussi vêtus de divers costumes fantaisistes.

Elle chantait, tout en leur donnant des friandises. Elle était magnifique! Lorsque je dus, à regret, quitter cette maison – je l'avais perdue dans mon aventure de propriétaires de deux restaurants et d'un bar dans le Vieux-Montréal –, elle sortit dans la rue et me fredonna « Paquetville ». Nous étions toutes les deux sur le bord de la Côte-Sainte-Catherine, moi assise sur une boîte et elle, cette belle grande brune, debout avec sa guitare et je pleurais.

Mais revenons au début de notre vie dans cette résidence à deux garages de la Côte-Sainte-Catherine. Je me demandais comment nous allions parvenir à payer l'hypothèque avec nos deux salaires. J'avais beau travailler à la télévision et Jean-Guy à CKAC, ce n'était pas suffisant. J'ai toujours été inquiète pour mes finances personnelles. Je me demande comment j'ai pu quitter mon travail de députée et laisser derrière moi un bon salaire. Il faut croire que je n'ai fait qu'écouter mon cœur. Quelques semaines plus tard, revenant chez Métro–Richelieu afin de développer une nouvelle stratégie marketing – lieu où il avait précédemment déjà exercé ses talents – Gaétan Frigon vint à ma rencontre. Sa femme Louise et lui avaient acheté, en bas de la côte, une autre maison dans la rue Querbes. Je ne comprenais pas pour quelle raison il avait quitté le 94 de la Côte-Sainte-Catherine. Mais en lisant son livre en 2015, je compris qu'il n'aimait pas la circulation de l'artère principale et préférait vivre dans une rue plus paisible. Nous allâmes sur ma grande terrasse de l'entrée principale et là, il me proposa de devenir la porte-parole de Métro, celle qui allait représenter la consommatrice moderne. Il avait décidé de changer l'image marketing de Metro. On laissait de côté l'épicier représenté par Gaston l'Heureux pour privilégier la consommatrice. J'étais survoltée. J'aimais l'idée et en plus je venais de trouver les sommes nécessaires pour payer une partie de l'hypothèque.

J'avoue avoir rencontré Gaétan avant d'écrire ce chapitre sur mon Dragon de cœur, pour être certaine que mes souvenirs concordaient bien avec les siens. Ce fut une belle rencontre. Nos souvenirs étaient tantôt en synchronicité et parfois différents. Gaétan me raconta m'avoir parlé de la possibilité de devenir porte-parole, bien avant le fameux jour où il m'a offert le poste sur un plateau d'argent. Mais je n'ai, pour ma part, aucun souvenir de cet entretien. C'est comme l'Histoire, elle s'écrit selon... Lorsque je me suis entretenue avec lui en septembre 2015, dans ses bureaux de *Publipage*, il m'a remis son livre *Gaétan Frigon né Dragon. Quand entreprendre rime avec feu sacré*. À la page 239, il ne faisait que des éloges pour le travail que j'avais accompli pendant cinq ans en tant que représentante de l'image de Métro. Je lisais son texte avec délectation et cela me faisait du bien. Mon rôle de consommatrice moderne s'harmonisait parfaitement avec celui de porte-parole idéale, parce que je l'étais véritablement dans mon cœur. J'ai tellement aimé cette période de ma vie. Comme le mentionne si bien Gaétan dans son bouquin, je rendais souvent visite aux marchands, sans les aviser de ma venue ; et si quelque fruit ou légume pourri osait se camoufler dans le présentoir, j'en parlais délicatement au responsable de cette section. Je discutais aussi avec la clientèle dans les allées, je croyais sincèrement — c'est une métaphore évidemment — que les magasins Métro m'appartenaient. Selon mes souvenirs, je les ai tous visités. Lorsque la visite était planifiée, on m'accueillait avec un gâteau et certains clients participaient à cette petite fête. Plus de 350 petites et grandes surfaces…

J'ai fait le tour du Québec et découvert par la même occasion notre richesse géographique autant que notre patrimoine culturel. Je n'étais pas obligée par mon contrat de visiter l'ensemble des magasins Métro, mais je considérais que c'était ma responsabilité. Dans l'est du Québec, les magasins *IGA* occupaient une grande partie du territoire. Les *Metro* étaient moins nombreux. Je me suis toujours investie totalement dans mes engagements, « à fond la caisse » comme on dit! Les publicités étaient remarquablement bien réalisées par l'agence Marketel. « Allo! Allo! J'fais mon Métro », « Métro à la grandeur du Québec! » Certaines photos cartonnées me représentaient « en pied »; d'autres s'étalaient aux dimensions de celles d'une campagne électorale. Je venais d'être choisie en tant que première ministre lors d'un concours organisé en 1985 par le Salon de la femme de Jacqueline Vézina.

Chez les humains, il n'y a qu'une seule race. La peau est comme l'emballage d'un cadeau. C'est le cœur de la personne que l'on doit conserver, regarder et aimer.

Nous avons adopté nos enfants entre 1986 et 1989; cette période coïncidait avec l'arrivage de nouveaux produits mis en valeur par des visages différents, censés refléter les cultures de gens venus d'ailleurs. Le kiwi est arrivé sur le marché du Québec à ce moment-là.

Je fus l'une des premières personnalités connues publiquement à avoir adopté des enfants à l'international. Lisette Gervais, célèbre animatrice de radio et télévision de Radio-Canada et de Télé-Métropole – décédée le 8 juin 1986 à l'âge de 54 ans –, m'avait précédée en adoptant trois enfants d'ici et d'ailleurs. On voyait de plus en plus de visages basanés. Mes enfants le sont, et j'en suis fière. Ensuite, d'autres enfants, issus de pays différents à travers le monde, continueront à enrichir nos familles et notre culture. C'était à ce moment-là, réellement un changement de paradigme qui s'opérait.

Au début de mon contrat avec Métro, je travaillais à Télé-Métropole, coanimant, avec Yves Corbeil *Bonjour Matin*, une émission quotidienne et matinale. Puis je suis allée à TQS pour animer *Marguerite et compagnie*. Dany Laferrière faisait la pluie et le beau temps à la météo de la station. Je lui parlais souvent à la cafétéria et le trouvais brillant. Je suis allée voir le directeur des programmes et lui proposai une émission en tandem avec Dany. Nous étions tous deux arrivés à montrer au public la réalité d'aujourd'hui, celle des modèles de personnes issues de l'immigration. Mon mari et moi avions été marqués, au moment de nos deux adoptions au Pérou, par un appel téléphonique d'un Québécois demandant à sœur Gisèle – l'une des deux religieuses québécoises responsables des enfants – si à l'orphelinat, il y aurait un bébé « pas trop foncé » et si oui, de le lui réserver. Cette question m'apparut odieuse. Les humains constituent une seule race : la race humaine. La peau elle, n'est que l'emballage du cadeau. C'est le cœur de la personne qui doit être considéré, regardé et aimé. Le directeur des programmes refusa l'idée proposée, alléguant que les Noirs étaient paresseux. Je fus littéralement choquée et le suis encore aujourd'hui !

Tout le monde connaît l'histoire de Dany Laferrière, d'origine haïtienne. Écrivain, scénariste, intellectuel et le plus jeune membre actuel de l'Académie française ; il nous fait honneur partout à travers le monde. Quelle insulte que cette allégation ! Cet auteur à succès est un modèle pour tous les Haïtiens et les Québécois. Il est aussi devenu un modèle pour le peuple français. J'avais eu du flair. J'étais une femme de mon temps. Une féministe, une combattante des causes et des injustices sociales...

De plus, le directeur des programmes, dont je tairai volontairement le nom, m'insultait également au travers de ce refus. Mes enfants, d'origine autochtone péruvienne, avec leur peau plus foncée que d'autres, reflétaient les mutations des nouvelles générations de Québécois. Les employés de la direction de *Métro* eux-mêmes firent une fête à mes deux premiers enfants lorsqu'ils sont arrivés au Québec le 12 juillet 1986. Cécilia et Carlos reçurent des cadeaux et beaucoup d'attention leur fut accordée. Dans une publicité, on me voit sur un triporteur. Mon Dragon de cœur me l'offrit afin que je puisse faire des petits tours dans les rues d'Outremont et asseoir mes enfants dans le panier arrière. J'étais comme une jeune fille, cheveux au vent, déambulant avec deux trésors dans un beau et grand panier. Une carte de Noël fut également conçue avec mes deux premiers enfants. Nous réalisâmes des calendriers dont l'un fut plus spectaculaire que les autres. Il montrait des photos sur lesquelles je représentais une femme de différentes nations sur les douze mois de l'année. J'insistais auprès de Gaétan pour que, dans les publicités, on embauche des personnes issues de différentes communautés culturelles. C'était une époque charnière de ma vie. Mon Dragon de cœur m'avait propulsée au rang de vedette, non seulement de la chaîne d'alimentation *Metro*, mais aussi de la télévision. Le courant passait bien avec le public. Gaétan Frigon m'avait imposée en tant que porte-parole à l'agence de publicité Marketel qui pourtant aurait préféré Louise-Josée Mondoux, alors une vraie vedette de la télévision en tant qu'animatrice. Le Dragon de cœur ne se laisse pas marcher sur les pieds quand il veut quelque chose. Il sait où il va avec son incomparable sens du marketing. Puis, contre toute attente, il vint un jour à la maison. Assis ensemble dans son ancienne cuisine, il me proposa d'animer une émission glamour, grand public, populaire, qui récompenserait des artistes de la radio et de la télévision, du cinéma et de la chanson (p 243 *Gaétan Frigon né Dragon quand entreprendre rime avec feu sacré*, éditions La Semaine, 2013). Cette émission serait diffusée à Télévision Quatre Saisons (TQS) : une nouvelle station concurrente de Télé-Métropole. Comme j'animais une émission quotidienne sur cette station, que les agents d'artistes étaient peu fréquents à l'époque et que je « négociais » (en réalité on acceptait ou refusait l'offre) directement avec Vincent Gabrielle, vice-président à la programmation, il n'était nullement question que j'aille animer une seule émission dont le titre serait *Gala MetroStar* dans une autre station de télé. Vincent Gabrielle commença à me boycotter sur mon propre plateau de tournage. Des consignes furent données pour me couper de l'image assez souvent, pour me faire moins participer à la coanimation avec Yves Corbeil. Les techniciens, eux, obéissent aux directives. Ils n'ont pas le choix. Le tout se fait subtilement, mais le malaise est palpable. J'étais extrêmement malheureuse et je me cachais en pleurant dans la salle de maquillage. Je me sentais prise entre l'arbre et l'écorce. En tant que porte-parole de *Metro*, je devais remplir mes fonctions et animer ce gala qui d'un autre côté, me séduisait en tant que défi. Par ailleurs, j'aimais mon émission au canal 10. Le gala fut diffusé en direct de l'aréna Maurice-Richard à l'automne 1986 sur les ondes de TQS. Je n'avais aucun texte. J'avais tout appris de mémoire deux jours plus tôt et j'étais éblouie par la dimension de la salle et l'éclairage multi-directionnel. Je crois avoir fait du bon travail et assez bien animé le gala, malgré ma nervosité. Certes, je n'étais pas le choix de Guy Fournier aux commandes de TQS, mais mon Dragon de cœur avait décidé que *Metro*, injectant 200 000 $ dans ce gala, l'animatrice principale serait leur porte-parole. Gaétan Frigon était furieux contre Vincent Gabrielle et les ennuis qu'il me procurait. Aussi décida-t-il de couper le budget de la publicité alloué à Télé-Métropole de moitié. Ouf! On peut dire que ce fut un dur coup pour l'entreprise… et pour moi! L'année suivante, je quittais le Canal 10 après quatre ans de service pour TQS à l'animation de *Marguerite et Compagnie* et de *Visa Santé* à Télé-Québec. Le Gala *MetroStar* changea d'antenne en 1987 pour Radio-Canada. Tout en panache, j'entrai sur la glace de l'aréna Maurice-Richard dans une décapotable, vêtue d'une éclatante robe courte, rose Kennedy, signée Denis Gagnon. Ce fut un immense succès couronnant Ginette Reno et Michel Louvain, les *MetroStar* de l'année. Ce style d'émission m'enivrait, me rendait totalement euphorique.

Deux ans de gala à Radio-Canada et la quatrième année nous nous retrouvions sur les plateaux de TVA. Gaétan Frigon faisait de formidables affaires et tous les canaux de télévision s'arrachaient le *MetroStar*. Le *Gala Artis* à TVA et *MetroStar* fusionnèrent. Je coanimais cette soirée avec Jean-Pierre Coallier qui passait allègrement du vous au tu quand il vous adressait la parole. Il fut le mentor de Jean-Guy lorsque mon mari commença à travailler à CFGL en tant que discothécaire, station radiophonique que monsieur Coallier avait fondée. Ce fut ma dernière collaboration au *Gala MetroStar*. En 1990, je reçus un *MetroStar* pour l'émission *Des mots pour le dire* que je coanimais avec la sexologue Louise-Andrée Saulnier qui, comme je l'ai déjà dit, n'avait pas peur des mots ni des gestes pour décrire la sexualité. Son langage était direct. Elle parlait de sexe comme on parle de tartes aux framboises…

Mon contrat avec *Metro* dura cinq ans; cinq ans de pur bonheur. La dernière année, c'est de mon propre nom que je signais les messages publicitaires, puis je tirai ma révérence. Entre-temps, Gaétan Frigon s'était séparé de son épouse. Il était follement tombé amoureux de la belle Hélène et filait le parfait amour.

En décembre 1989, Jean-Guy et moi adoptions Francisco, au Guatemala. Son anniversaire tombe le 17 février. Cette année-là, il a eu 11 ans. C'était tout un défi pour la famille. Nous avions décidé de l'adoption par un vote secret. Cécilia et Carlos devaient écrire sur un morceau de papier s'ils étaient d'accord ou non pour adopter Francisco. Cette idée participative était en soi saugrenue. Comment des enfants pouvaient-ils prendre une telle responsabilité et exprimer leur désaccord, face à des parents qui les avaient eux-mêmes adoptés trois ans auparavant ? Toujours est-il que nous partîmes au Guatemala en décembre 1989. J'avais, au préalable, enregistré une semaine d'émissions quotidiennes à TQS. Contrairement aux adoptions précédentes où nous avions passé près de deux mois, celle-ci devait, en raison de mon travail, se faire rapidement. Nous revînmes le 12 décembre, avec ce petit bonhomme qui, dans l'avion, me demandait en espagnol si la neige était froide. Il ne savait aucunement à quoi s'attendre. Un habit de neige, des mitaines, une tuque, des bottes l'attendaient à Dorval. Ce fut difficile pour lui. Des parents, un frère et une sœur en même temps...

Étant donné mes longues heures de travail et afin de me donner un coup de main à la maison, notamment pour les enfants, nous avions, en novembre de la même année, accueilli une jeune fille, tunisienne d'origine, Chiraz, alors étudiante aux HEC. Elle est devenue « notre fille » et fait désormais partie, à part entière, de la famille, tout comme ses deux enfants, Aziz et Sara, mes petits-enfants. Gaétan a accepté de devenir le parrain de Francisco. C'est une tâche qu'il n'a pas vraiment réussie, trop occupé par ses multiples fonctions et ses amours naissantes avec la belle Hélène. Francisco a souffert de cette perte de communication avec son parrain. Les enfants adoptés ont déjà été abandonnés une première fois. Des nœuds se nouent sur la corde de leur vie. Ils sont fragiles et sensibles. À chaque abandon, c'est un échec. Aujourd'hui, père d'un magnifique petit garçon prénommé Santiago, Francisco a fait la paix avec mon Dragon de cœur lors des funérailles de Jean-Guy. Gaétan vint avec Hélène lui dire un dernier au revoir. Ainsi va la vie, la vie sur nos trajectoires qui traversent le fil de nos sentiments et les nœuds serrés de nos histoires individuelles.

Mon ami pour la vie

« L'amitié, c'est l'oubli de soi-même,
c'est le dévouement. ”

Léon Walras,
Recherche de l'idéal social (1868)

Georges Durst, son épouse, Marie-France Villette
et Marguerite Blais

George Durst, mon ami pour la vie

C ertains êtres se retrouvent sur les différentes routes de nos vies, quels que soient les obstacles ou les joies sur le parcours. J'ai connu cet homme extravagant dans les années 1970. Il était le roi du *Night Club*. La rue Crescent était vivante et évanescente tout comme les rues adjacentes. Les boîtes de nuit fleurissaient à cette période où le *Flower Power* était sublimé. On se sentait libre comme l'air frais du printemps à l'heure de la rosée. Nombreux étaient ceux qui s'amusaient jusqu'aux petites heures du matin. Ils fumaient et buvaient de l'alcool. La sexualité était désormais libérée comme des portes tournantes. Les interdits semblaient levés, du moins pour certains.

Georges Durst, alsacien d'origine, aimait l'art nouveau et l'art déco. Il affectionnait toutes les belles antiquités et les œuvres d'art de la fin du XIXe et début du XXe siècle. Ses restaurants intimistes et ses bars remplis à craquer d'objets d'une autre époque ont toujours créé des ambiances surannées, à l'exception du concept de *La Cage aux Sports* qui existe depuis 32 ans et qu'il a vendu à Jean Bédard. Il avait réussi à attirer des foules pour manger des ailes de poulet tout en regardant les matchs de hockey. La formule était nouvelle et se différenciait des tavernes. Ce personnage était extrêmement créatif. Il aurait pu réussir en tant que metteur en scène au théâtre ou comme Federico Fellini, réalisateur et scénariste.

Je me souviens d'un soir où nous étions invités, avec un groupe de ses amis, pour une soirée dite prestigieuse. Nous étions tous vêtus en habits de gala et en robe de bal. Nous nous retrouvâmes au *Bijou* – l'un de ses bars ayant connu un immense succès et que j'ai acheté ultérieurement – pour prendre l'apéritif. Puis il nous a affublés d'un casque de construction à notre nom et nous nous sommes dirigés vers un édifice désaffecté situé à proximité du *Bijou*. Il venait d'acquérir ce vieux bâtiment. Prenant un ascenseur brinquebalant avec la frousse qu'il ne tombe en panne, nous arrivâmes à l'étage prévu, le cinquième, où une équipe de professionnels (maître d'hôtel, serveurs et cuisiniers) nous attendait, comme si nous entrions dans un palais. Une splendide table était montée au centre de la pièce, recouverte d'une nappe blanche en dentelle de Bruges sur laquelle était déposée la verrerie délicate en cristal et la vaisselle de Limoges, ornementée de feuilles d'or. Une armée de couverts en argent parfaitement alignés, miroitait dans le lustre suspendu, acquis dans un encan lors d'une mise en vente de certains articles par l'hôtel Fontainebleau de Miami. Pour couronner le tout, un immense arrangement floral odoriférant répandait son parfum subtil. Dans ce lieu inattendu, l'atmosphère nous conviait à une soirée digne d'un bal à Versailles. Plusieurs volières dissimulées aux quatre coins de la pièce ajoutaient à la magie de la table pendant qu'un violoniste d'origine russe agitait son archet au tempo des canaris et des pinsons. Dans les fenêtres noircies par la saleté déposée depuis plusieurs années d'abandon, des toiles d'araignées étaient accrochées, telles des œuvres d'art et tranchaient avec le décor époustouflant de cette soirée inoubliable.

Je me souviens de ce jour où nous sommes allés à l'encan des animaux de Saint-Hyacinthe. J'étais fascinée par le spectacle sur scène. Tout se déroulait trop rapidement, comme un film en accéléré. On vendait des lots de bêtes et le commissaire-priseur débitait des chiffres à une vitesse vertigineuse, incompréhensibles à mon oreille de néophyte. Georges acheta tout bonnement un lot d'ovins. J'avais juste signalé que ces animaux me plaisaient. Lui n'avait aucune connaissance de l'élevage des moutons; il ne savait même pas quoi en faire. J'étais totalement sidérée. Il habitait à Seneville dans une luxueuse résidence. Les moutons furent transportés à l'arrière de la voiture dans une petite remorque. À notre arrivée, il les a laissés brouter sur son terrain en toute liberté. Il va de soi que ces bêtes n'avaient pas de berger pour les diriger et qu'elles se sont rapidement retrouvées sur le terrain d'un riche propriétaire, furieux de constater que sa pelouse, d'un magnifique vert golf, avait été partiellement dévorée par ces ovins séduits par l'herbe tendre. Afin de garder une paix menacée, Georges dut rapidement se départir de son petit troupeau, totalement inadapté dans le contexte urbain d'une ville dotée de villas somptueuses.

Georges était une personne excentrique, je dirais même extravagante; mais ce comportement stimulait la créativité et le marketing de ses affaires. Lorsqu'il nous rendait visite, il se changeait et arborait une djellaba qui était suspendue dans ma garde-robe – elle l'est toujours. Jean-Guy portait un boubou et lui sa longue tunique. Nos soirées étaient formidables. Il adorait les couscous que Jean-Guy préparait à la marocaine. Georges arrivait à la maison les bras chargés de bouteilles de vin, de fleurs ou… d'une antiquité.

Mes fenêtres étaient ornées de vitraux que Georges m'offrait lors de ses passages et qui laisseront des traces d'émotions en tout genre.

Aujourd'hui octogénaire, Georges continue de créer des environnements où les gens se rassemblent à l'écoute des notes de jazz et de blues tout en dînant. La Maison du jazz de Laval, *House of Jazz* est un chef d'œuvre d'imagination. Sa dernière réalisation et sans doute l'une des mieux réussies. J'ai récemment été invitée et Lise Watier était des nôtres. Tous les plats au menu nous ont été servis sous forme de tapas.

Georges Durst s'ingénie à mettre au monde des espaces publics remplis d'objets achetés dans des encans à New-York, Chicago, San Francisco ou ailleurs. Chez lui, l'accent est toujours mis sur les atmosphères provoquées par la magie des éclairages, les boiseries, les tissus chaleureux et les effets scéniques. Ces sensations que procurent le Lido de Paris, le Moulin Rouge, les tsars de Russie et les rêves libertins du début du XXe siècle jaillissent de son esprit créatif.

Cet homme, ayant marqué le domaine de la restauration et des bars, aime brasser des affaires. Il faut savoir comment prendre sa place et surtout ne pas la perdre pour parler

« business » avec lui. Lorsqu'il est question d'argent, il est impitoyable au point d'en oublier l'amitié. Mais en amour tout comme en amitié, il est romantique. Il adore offrir d'immenses gerbes de fleurs et des orchidées munies de plusieurs hampes florales.

Un jour, il demanda à son orfèvre de fabriquer de petits joncs en or 18 carats avec de minuscules petits cœurs encavés. Chaque jonc était gravé d'un numéro. Il souhaitait les offrir à des femmes importantes, différentes, gravitant autour de sa personne. Sa fille reçut l'épreuve d'artiste et il me fit don du numéro trois d'une série de huit. J'ai longtemps et précieusement conservé ce jonc.

Lors de notre dernier diner à la maison avec Jean-Guy (nous ne connaissions pas alors le film de l'avenir), il était en compagnie de mon amie Marie-France Villette, son épouse, une magnifique femme. Je lui redonnai le jonc, par amitié. C'est elle maintenant qui le possède. Juste retour des choses. Marie-France a réussi là où plusieurs femmes ont échoué. Georges ne souhaitait plus se remarier. Son précédent mariage avait été un échec. Il se fiançait avec les filles mais n'allait jamais jusqu'au bout de l'engagement ultime. Il a épousé Marie-France, présente dans les beaux comme dans les mauvais jours de sa vie. Je sais que Georges l'aime profondément et que c'est réciproque.

Ma rencontre avec cet homme m'a fait perdre beaucoup d'argent. Nous étions amis, mais je n'étais pas faite pour brasser des affaires. Jean-Guy et moi avons acheté deux de

ses restaurants *Les Serres* et le *Zhivago* ainsi que le *Bijou* –
un bar adjacent aux restaurants ; tous situés dans le Vieux-
Montréal. C'était magnifique. Mais j'y ai laissé ma maison
à flanc de montagne à Outremont, ainsi qu'une quantité
importante d'espèces sonnantes et trébuchantes. J'étais
entêtée et je tenais à lui prouver que j'étais plus forte que lui
et apte à réussir par moi-même. Ce fut un lamentable échec
au plan financier, mais une expérience de vie inoubliable.
Elle a fait de moi une personne plus résistante et résiliente
à toutes épreuves. Ces années furent des plus difficiles. La
période la plus creuse fut celle où nous avons cessé de nous
parler. Puis, cette simili-haine s'est muée en désir réciproque
de réappropriation de notre amitié, blottie quelque part à
l'abri de la tempête.

Par un beau jour d'été au soleil radieux, notre amitié s'est
ressoudée. Elle était plus importante que toutes mes pertes
matérielles. Georges arriva à la maison avec un lapin en
cadeau. Nous sommes, dès lors, restés des amis pour la vie.
Il a promis à Jean-Guy, sur son lit de mort, de veiller sur
moi. Preuve d'une amitié aussi forte que l'amour.

Un président de cœur

Si j'écrivais le livre de ma vie
Il s'ouvrirait avec le coeur
De ceux qui m'aiment

Les chemins de ma maison,
paroles Eddy Marnay

Raymond Bachand, ministre des Finances et
Marguerite Blais

Mon équipe de la *Fondation du maire
de Montréal pour la Jeunesse*

Pierre Bourque, maire de Montréal, Milder Villegas, Marguerite Blais, Camille Gagnon (président de la *Fondation du maire de Montréal pour la jeunesse*)

Pierre Bourque, maire de Montréal, Orlando Arriagada, boursier et aujourd'hui producteur de films

J'étais en première année du programme de maîtrise à l'Université du Québec à Montréal lorsque Germain Prégent – conseiller municipal dans Saint-Henri de 1978 à 2001 et responsable des dossiers Jeunesse à la ville de Montréal – me donna un coup de fil à la fin de l'année 1995. Il m'invitait à faire partie du conseil d'administration d'un nouvel organisme devant voir le jour sous l'appellation de *Fondation du maire de Montréal pour la jeunesse*. Pierre Bourque, le 40e maire de Montréal, une fois élu, renonça à son salaire de magistrat, afin de permettre à de jeunes Montréalais à faible revenu de démarrer leur entreprise et de créer des emplois. Pour assurer sa subsistance, il avait fait le choix de conserver sa pension d'horticulteur en chef de la ville de Montréal et de directeur du Jardin botanique, pourtant moins élevée que son salaire de maire. Ce geste de générosité fit couler beaucoup d'encre. Certaines personnes ne saisissaient pas le sens profond et les raisons philanthropiques qui poussaient le maire à agir de la sorte; elles associaient cette décision à un geste purement politique. Dans cette même veine, la pression fut forte pour pousser Lucien Bouchard à renoncer à sa pension de politicien provenant du fédéral, aussi longtemps qu'il serait en politique active au provincial. Monsieur Bouchard, 27e premier ministre du Québec du 29 janvier 1996 au 8 mars 2001, semblait agacé par les questions des journalistes. Néanmoins, il fut sans doute contraint à renoncer à sa pension fédérale pour un certain temps, en raison de la perception de cette double rémunération mal ressentie par la population. L'action entreprise par le maire Pierre Bourque en faveur des jeunes avait alimenté le débat dans la sphère publique.

Lors de la première réunion du conseil d'administration, fin janvier 1996, alors que nous devions discuter des éléments de base servant à élaborer un code d'éthique, lancer l'organisme, embaucher un directeur, etc., le maire me prit à part, à l'extérieur de la salle et m'annonça qu'il souhaitait me confier la direction de sa fondation. Au cours de la réunion du conseil qu'il présidait et devant tous les autres membres fondateurs, dont le Cardinal Jean-Claude Turcotte, Serge Savard, Jonathan Wener pour ne nommer qu'eux, il annonça que je recevrais un salaire de 50 000 $ annuellement et que j'étais la personne toute désignée pour remplir ce poste. Malaise évidemment autour de la table! J'étais stupéfaite et gênée mais personne ne vint contester la décision du maire de Montréal. Je sortis de la salle du conseil afin de les laisser discuter entre eux quelques instants. Je n'avais aucunement prévu cette tournure dans ma trajectoire de vie. Je me lançai une fois de plus, la tête la première, dans cette nouvelle aventure, tout en poursuivant ma maîtrise à l'université.

Heureusement que Jean-Guy me soutenait à la maison avec les enfants, car je devais structurer une fondation et je n'avais aucune expérience dans le domaine des organismes sans but lucratif. Je ne savais même pas comment rédiger une lettre de sollicitation. Ce fut une expérience excitante et sept années inoubliables. Et je devais parallèlement poursuivre mes cours universitaires et la rédaction de mon mémoire!

Mon premier bureau était situé à l'Hôtel de Ville de Montréal au troisième étage. Le divan noir accueillant les invités avait été utilisé par Jean Doré, 39e maire de Montréal de 1986 à 1994. J'adorais me retrouver dans cet environnement chaleureux, la maison des citoyens. Cet étage de l'Hôtel de Ville avait été complètement rénové sous l'égide du maire Doré. Une fois élu, Pierre Bourque avait plutôt choisi de s'installer au deuxième étage dans un bureau plus historique et lambrissé. C'est aussi Pierre Bourque qui ouvrit toutes grandes les portes principales de l'Hôtel de Ville accueillant ainsi les Montréalaises et les Montréalais. J'aimais travailler à développer de nouvelles idées afin que les jeunes, âgés de 18 à 35 ans, réussissent leur projet d'avenir en tant qu'entrepreneur. Je côtoyais les politiciens. J'arrivais sur les lieux de mon travail très tôt le matin. Sammy Forcillo, vice-président du comité exécutif de la ville de Montréal, était tout comme moi, aussi matinal. Dans son bureau, il écoutait du chant grégorien comme au temps des cathédrales gothiques du Moyen-Âge. La fenêtre de son bureau donnait sur le célèbre balcon où le président de la République française, Charles de Gaulle prononça, le 24 juillet 1967, cette célèbre phrase « Vive le Québec libre », déclenchant une crise politique entre le Canada et la France. J'avais l'impression d'être à l'épicentre d'un livre d'histoire. Entre deux cafés, Sammy Forcillo, comptable de profession, m'aidait à comprendre et faire une planification budgétaire. Il me consacrait beaucoup de temps avant que l'hôtel de ville ne se remplisse de fonctionnaires et d'élus. J'aimais ces chants liturgiques, cette musique sacrée ; elle apaisait l'anxiété que j'éprouvais concernant les chiffres que je contrôlais encore mal.

Il fallait trouver un président qui accepterait bénévolement le titre, pour diriger le conseil d'administration, un président qui n'aurait pas froid aux yeux. Par le pur des hasards, j'assistai à une conférence petit-déjeuner de la Jeune chambre de commerce de Montréal. J'entendis la voix captivante d'un entrepreneur parler de sa passion et de sa vision d'avenir. Camille Gagnon, ingénieur, président d'Innovitech Inc., possédant aujourd'hui quarante ans d'expérience dans le domaine de l'innovation et du développement économique, me séduisit. Sa fougue, son enthousiasme et sa verve étaient contagieux. Je le rencontrai à la suite de sa conférence et l'invitai à devenir « Président de la *Fondation du maire de Montréal pour la jeunesse* ». Il aimait tellement les jeunes et leur fibre entrepreneuriale qu'il accepta. Nous formions une équipe du tonnerre !

Camille s'investit sans compter ses heures. Le conseil d'administration, sous sa gouverne, fut très actif. Des réunions assidues se déroulaient dans la salle du Comité exécutif de la ville de Montréal et le maire assistait à toutes ou presque. Notre travail consistait également à amasser des fonds, afin de pouvoir les redistribuer ainsi qu'à élaborer des programmes qui pourraient faire en sorte que les jeunes aient ce goût de s'investir dans l'entrepreneuriat jeunesse. Les bourses consenties pourraient atteindre un maximum de 20 000 $. Ces dons représenteraient le *love money*, permettant au jeune entrepreneur de rechercher un financement traditionnel dans une institution financière et d'obtenir une source supplémentaire de revenus provenant d'un programme gouvernemental. Au fur et à mesure de l'avancement de nos travaux, nous embauchions du personnel, tels des conseillers en entrepreneuriat. L'organisme emménagea dans des locaux appartenant à la ville de Montréal et situés rue Sherbrooke, à l'angle de la rue Saint-Denis ; nous étions à l'étroit à l'Hôtel de Ville et ce n'était pas réellement notre place. Il fallait loger les employés, accueillir les jeunes et les bénévoles, les accompagner dans la réalisation de leur montage financier et surtout s'assurer que l'entreprise serait viable et en mesure de traverser des étapes plus difficiles, voire complexes, durant leur parcours d'affaires. Le conseil d'administration, sous la direction de Camille Gagnon, prit la décision de mettre sur pied une banque de mentors, destinés à encadrer les entrepreneurs débutants et les guider sur le chemin de leur réussite. Les bénévoles fusèrent de toutes parts : d'anciens banquiers ou des personnes issues du monde des affaires et jouant un rôle des plus significatifs. Plusieurs projets déposés à la fondation possédaient des caractéristiques artistiques et le conseil d'administration hésitait à les financer. Pourtant, au Québec, nous avons des entreprises plus que rentables et internationalement reconnues, telles que *le Cirque du Soleil* et le *Festival de jazz*.

Mais les a priori sur l'incapacité des artistes à être de véritables entrepreneurs sont tenaces et représentent apparemment un risque financier. Camille et moi réussîmes pourtant à convaincre les membres du Conseil d'Administration de développer un nouveau programme, uniquement pour des projets de nature culturelle, obtenant pour eux des bourses pouvant atteindre 5 000 $. Des bénévoles au profil artistique, muséal ou communicationnel se joignirent à nous pour former un comité d'évaluation des projets qui leur étaient soumis et confiés, par la suite, à l'approbation du Conseil d'Administration. Nous eûmes ainsi deux comités de bénévoles, étudiant attentivement les projets préalablement déposés à un conseiller de la fondation pour une première évaluation. L'organisme fondé par le maire Bourque prit rapidement son envol et vint à Camille Gagnon l'idée d'organiser des soirées d'« Anges financiers ». Nos entrepreneurs commençant à réussir et ayant besoin d'une deuxième tournée d'investissement présentaient leur projet devant des investisseurs en capital-risque. Le terme *ange financier* à l'époque était relativement récent et peu connu dans le monde francophone des affaires. Il fit sourire certains, mais les investisseurs, à l'instar des *Dragons* d'aujourd'hui, qui voulaient investir dans de jeunes entreprises ayant le vent dans les voiles, étaient ravis. Les soirées furent organisées tantôt au Club Saint-James – club privé existant depuis 1857 –, tantôt au Club Mount Stephen fondé en 1926. Vin et petites bouchées étaient servis pendant que nos boursiers charmaient les investisseurs avec leurs projets novateurs.

Parmi mes responsabilités en tant que directrice générale, je devais amasser des fonds. Ce n'était pas une mince tâche. L'organisation des soirées-bénéfices représentait énormément d'investissement en temps et créativité. Le nom de la fondation, associé au maire de Montréal aidait à recruter des présidentes et présidents d'honneur et à former les comités ayant la responsabilité de vendre des billets. Un tourbillon de folie s'empara de moi. J'inventais des soirées thématiques aux couleurs de différents pays. La couleur ethnique – significative dans ma famille se transporta de mon salon à mon travail. J'ai encore le souvenir mémorable de cette splendide soirée marocaine tenue au Marché Bonsecours de Montréal. Les invités devaient se rendre dans le hall de l'Hôtel de Ville pour le cocktail. Par la suite, en compagnie du maire de Montréal prenant la tête du convoi, nous devions parcourir, avec des flambeaux, cette courte distance de l'Hôtel de Ville au Marché Bonsecours. Un vent froid nous saisissait. Un vrai dromadaire, bien vivant, montait la garde devant la porte d'entrée du marché, afin de nous convier solennellement à la soirée. Je revois encore Camille Gagnon rire aux larmes. Il me trouvait si extravagante, mais en même temps attachante, à l'image de cette belle et douce folie s'emparant des artistes. Avec *Royal Air Maroc*, commanditaire officiel de la soirée, nous avions fait venir tous les artisans, les cuisiniers et les produits du Royaume du Maroc. Des roses fraîches par douzaines, des mandarines juteuses, des dattes sucrées, du thé à la menthe servi avec des théières en argent ciselées… Et des cuisiniers préparaient le couscous royal et les tagines. Dans un coin de la salle, une artiste avec son voile dessinait des tatouages au henné pendant le repas. La musique arabe et des musiciens et danseurs envoûtaient toute la salle comme si nous étions au Maghreb. Je m'amusais comme une enfant à organiser de tels événements. Je raffolais de tout ce qui venait d'ailleurs.

Une autre fois, ce fut la Russie qui prit la vedette avec le maire de Moscou et Lise Watier, en tant que présidente d'honneur. J'avais, dans le passé, été propriétaire d'un restaurant russe, *Le Zhivago*, rue Saint-Pierre et LeMoyne, dans le Vieux-Montréal. Il m'était par conséquent facile de penser au menu : blinis au saumon fumé et caviar, bortch couleur rouge betterave avec sa crème fraîche, bitokes d'agneau à la russe ou poulet à la Kiev. Le tout arrosé de vodka aromatisée au citron, à la canneberge ou à la sauge. On aurait pu, émotivement, facilement se transporter sur la place Rouge à Moscou. Lise Watier avait distribué son parfum *Neiges* à chaque invité. Elle était resplendissante avec sa fourrure blanche.

Que de soirées ai-je ainsi organisées avec des bénévoles et professionnels en événementiel. Ces soirées demandaient des efforts considérables qui grugeaient beaucoup d'énergie, mais qui se soldaient par un véritable feu d'artifice de bonheur intérieur.

La fondation ne cessait de grandir. Les idées de Camille, ce président de cœur hyperactif, me poussaient à me surpasser. Nous devions assurer la pérennité de l'organisme. Nous savions qu'un jour ou l'autre le salaire du maire ne serait plus suffisant ou effectif. Le gouvernement fédéral, alors que Martin Cauchon était Secrétaire d'État à l'Agence de développement économique du Canada pour les régions du Québec, nous octroya une subvention substantielle. Pour chaque dollar versé par le gouvernement, nous avions l'obligation d'en trouver un autre. Le gouvernement du Québec suivit un peu plus tard et nous obtînmes une subvention. Nous organisâmes également des concours avec *l'École de technologie supérieure* et le *Centre de l'entrepreuneurship technologique* (Centech) ou avec des communautés culturelles telle que la communauté juive hassidique. J'ai énormément appris avec les membres de cette communauté sur leurs pratiques religieuses et culturelles.

Avec l'approbation du conseil d'administration, nous organisâmes notre première campagne majeure de financement. Je rencontrai Raymond Bachand qui, à l'époque, était Président et directeur-général du *Fonds de solidarité* FTQ (1997 à 2001). Nous nous étions connus chez Métro-Richelieu alors qu'il en était le vice-président. En compagnie de son épouse Micheline et de mon mari Jean-Guy, nous avions fait deux fabuleux voyages, en France et au Portugal, pour le compte de *Métro* et avions visité des magasins d'alimentation et goûté à de nouveaux produits! Camille et moi réussîmes à le convaincre d'accepter la présidence de cette campagne dont le but était d'atteindre 1,5 million de dollars.

Raymond Bachand est une personne des plus généreuses. Je l'aime énormément. Il m'a toujours soutenue dans mes différents projets, soit à la *Fondation du maire de Montréal pour la jeunesse*, soit en tant que ministre responsable des Aînés. Je lui dois une fière chandelle, entre autres pour la politique *Vieillir et vivre ensemble, Chez soi, dans sa communauté, au*

Québec. Il fut un bon ministre des Finances. Très à l'écoute de tous les députés de l'Assemblée nationale (quel que fût le parti politique) et de ceux de notre caucus. Il cherchait évidemment à atteindre l'équilibre budgétaire tout en étant solidaire des moins nantis. On lui doit le crédit d'impôt remboursable pour solidarité. Il est également doté d'une intelligence émotionnelle qui fait défaut à nombre de politiciens. Cette première campagne de financement fut un magnifique succès qui permit à l'organisme de monter d'autres marches pour assurer sa pérennité.

Notre deuxième campagne majeure se déroula sous la présidence d'André Bérard, chef de la direction de la Banque Nationale du Canada de 1990 à 2002. C'était un homme extrêmement puissant et influent. Il connaissait toutes les hautes pointures du monde des affaires. Il fut heureux de pouvoir contribuer au succès de l'entrepreneuriat jeunesse. Il réussit à solliciter de grands donateurs afin qu'ils souscrivent à la *Fondation du maire de Montréal pour la jeunesse*. Il amassa 3 millions de dollars en peu de temps. Monsieur Bérard affichait une rigueur certaine malgré ses airs débonnaires. Il était un incontournable et déclinait probablement de nombreuses invitations à lever des fonds, car il était souvent sollicité pour des causes caritatives qu'il n'avait pas toujours le temps d'examiner. Toutes les activités de la Banque Nationale l'occupaient énormément.

J'eus cette chance de le croiser sur ma route. Ces deux expériences de campagnes ont marqué ma trajectoire de vie. Surtout ma rencontre avec Camille Gagnon. Il fut un élément déclencheur de l'émotion du cœur.

Nous devions apprivoiser les boursiers qui réussissaient en affaires et les inciter à redonner une partie de leurs gains à la fondation ; implanter une culture du juste retour des choses n'était pas simple en soi. Un jeune entrepreneur est toujours sur le qui-vive dans les débuts de sa carrière. L'une des premières boursières, Mariouche Gagné, d'*Harricana fourrure recyclée* et Pascal Lépine, président d'*Atypic* entre autres, acceptèrent de rétrocéder des fonds à la fondation et c'est ainsi qu'un mouvement de reconnaissance envers et pour la *Fondation du maire de Montréal pour la jeunesse* s'organisa parmi les anciens boursiers. Lorsque le maire Pierre Bourque subit une défaite en 2001 face à Gérald Tremblay, celui-ci accepta de siéger à titre de maire au conseil d'administration. Il était déjà membre du conseil de la fondation depuis plus de deux ans. Camille Gagnon réussit à le convaincre d'accepter notre invitation, alors qu'il était Président du conseil du Centre de perfectionnement des HEC. Il semblait évident qu'il ne renoncerait pas à son salaire de maire, uniquement pour suivre l'exemple de son prédécesseur. C'était le geste d'un homme et de son engagement auprès de la jeunesse montréalaise. Mais notre caisse était alors suffisamment pourvue pour être en mesure de poursuivre l'œuvre du maire Pierre Bourque sans son salaire. Je lui rendis hommage, pour cette contribution exceptionnelle et sans précédent qui changea la vie de plusieurs personnes, dont la mienne. Si je vous dis que le cirque *Les 7 doigts de la main*, le réalisateur et producteur de films et documentaires *Orlando Arriagada*, l'auteure-compositrice-interprète *Catherine Major* pour ne nommer que ceux-là, ont obtenu une bourse de la fondation pour le démarrage d'un projet, vous comprendrez l'importance de cet organisme. C'était électrisant de constater que les fleurons artistiques et entrepreneurials s'ouvraient au fur et à mesure que le public les admirait. Camille – mon président de cœur – et moi, vivions une période euphorisante : celle d'accompagner de jeunes adultes à réussir leur vie. En 1996, j'étais au mitan de la mienne. Je roulais à cent kilomètres à l'heure. Je rédigeais mon mémoire de maîtrise et mes enfants grandissaient. En ma compagnie, Camille grisonna plus vite que prévu. Je développai des projets dont les succès ne furent pas forcément égaux.

Un organisme de prêts pour petites entreprises s'associa à nous. Notre culture organisationnelle, nos façons de faire ainsi que nos valeurs divergeaient – même si le but visé était relativement similaire – et firent que des difficultés entre les deux organismes s'installèrent. C'était forcément de ma faute, j'avais forcé la main. J'aurais aimé que cette fusion ou plutôt que cette réunion d'acteurs en entrepreneuriat puisse donner davantage d'élan aux efforts que nous devions consacrer quotidiennement pour réussir les montages financiers de jeunes entrepreneurs. Mais on ne change pas les mentalités si facilement. On me percevait davantage comme une capitaliste que comme une sociale-démocrate. Je possédais cette croyance que l'argent devait servir à faire avancer une cause et que les grands leaders du Québec ayant réussi financièrement pouvaient et devaient opérer un juste retour vers des causes caritatives. Ce qu'ils firent assurément souvent. Les gens riches et célèbres sont généralement de très généreux donateurs.

Au Québec, il fut un temps où nous avions des problèmes avec celles et ceux qui réussissaient en affaires. Mais c'est aux portes de ces personnes que nous devions cogner avec notre plan d'affaires et d'avenir pour réussir à monter un organisme tel que la *Fondation du maire de Montréal pour la jeunesse*.

Un autre très mauvais coup de ma part, durant mon mandat, fut de croire que Camille avait fait son temps comme Président. Il me disait parfois que je devrais éventuellement penser à relever un nouveau défi. Ce n'était pas parce qu'il souhaitait que je parte, loin de là, mais c'est parce qu'il souhaitait m'aider à escalader la montagne vers de nouveaux accomplissements professionnels. Ces échanges entre nous ont finalement fait aboutir le train dans les deux sens. En effet, je lui mentionnai que, pour le mieux-être de la fondation, une nouvelle personne pourrait apporter de l'eau au moulin et faire tourner la roue de l'organisme différemment. Je sais que je l'ai profondément blessé, mais il s'est rangé de mon côté, tout en restant au sein du conseil d'administration de la fondation. Avec la venue d'un nouveau président, la culture même de l'organisme commença à se transformer. Elle se modifia légèrement au fur et à mesure. Il fallait savoir évoluer et l'accepter.

Je quittai la fondation pour le Conseil de la famille et de l'enfance en décembre 2003. Une porte se fermait ; une autre s'ouvrait sur mon destin. Peu de temps après mon départ, dans une foire alimentaire de Québec je croisai Liette Lamonde, recherchiste et analyste politique à l'Union des producteurs agricoles ; je l'avais connue au World Trade Center de Montréal[19] dont elle était Présidente directrice générale. Je lui mentionnai le fait que le poste que je venais de quitter était vacant et qu'elle y serait une excellente candidate. Elle posa sa candidature et depuis 2004, elle agit en tant que directrice générale. Le nom de la *Fondation du maire de Montréal pour la jeunesse* a changé. Sans doute à cause d'un parfum de scandale qui flottait sur la ville de Montréal. Une certaine distance entre le politique et les donateurs semblait nécessaire. Aujourd'hui, *La Fondation Montréal Inc.* poursuit l'œuvre de Pierre Bourque et de plus en plus d'acteurs prestigieux du monde des affaires, dont Geoff Molson et Lucien Bouchard, ont rejoint les rangs de cet organisme né de l'idée d'un homme.

Je sais que j'ai fait de la peine à mon président de cœur, mais il m'est resté fidèle. C'est ce que nous appelons une amitié sincère. Lorsque j'ai fait le saut en politique, il m'a vivement encouragée. Et je sais une chose fondamentale, c'est qu'il croyait en moi. C'est une personne qui sera toujours au cœur de ma vie. Si un jour vous croisez Camille Gagnon, vous serez en présence d'un « ange de cœur ».

---

19. World Trade Center de Montréal : centre d'experts en commerce international de la Chambre de commerce de Montréal, dont la vocation est de former et conseiller les entreprises, associations et autres organismes économiques du Québec, dans leur développement de marchés extérieurs.

Mes docteurs de cœur

Personne ne peut fuir son coeur,
c'est pourquoi il vaut mieux écouter ce qu'il dit.

L'Alchimiste, Paulo Coelho

Dr Jean-Paul Bahary

Dr Jean-François Chicoine

Dr David Lussier

Mon médecin de famille

J'ai connu le Dr Réjean Thomas au tout début des années 1979-1980. Son cabinet était situé dans un bureau de la rue Crescent, au deuxième étage d'*Henri coiffure*. J'étais une cliente de ce coiffeur, aujourd'hui décédé. Dans ces années fastes de la rue Crescent, Henri Bergeron, collectionneur d'antiquités et de bijoux anciens qu'il vendait dans sa boutique, était assurément l'un des coiffeurs parmi les plus populaires de Montréal. Apprenant qu'un jeune diplômé en médecine s'était installé juste à l'étage supérieur de la boutique, j'eus l'idée de le consulter. Quelques artistes formaient également sa clientèle. Depuis ce jour, il est mon médecin de famille et au fil des ans, est devenu mon ami. J'eus ce privilège de le voir évoluer, devenir un expert dans le domaine des infections transmissibles sexuellement et je pus apprécier aussi cette facilité à sensibiliser la population à l'importance d'utiliser une protection sécuritaire lors de relations sexuelles.

Lorsqu'il quitta la rue Crescent pour fonder la clinique l'*Annexe* située dans « Le Village », mon dossier médical suivit. Cette clinique devint l'*Actuel* en 1987. Le Docteur Thomas a toujours pris le temps de me soigner malgré ses nombreuses tâches, ses responsabilités de gestionnaire et de professionnel de la santé. La très grande partie de sa clientèle est stigmatisée; ce sont des cas difficiles et il doit soigner tout en faisant de l'éducation, notamment de la prévention. Lorsqu'il faisait ses études de médecine, le sida n'existait pas. Il accompagna, bien malgré lui, plusieurs jeunes personnes – et parfois moins jeunes – souvent talentueuses et promises à un bel avenir, dans le passage de la vie à la mort. Il fit sa médecine dans le but de soigner des êtres humains et non pour les voir mourir avant le mitan de leur vie. Je l'ai souvent vu se battre pour que les gouvernements successifs assouplissent les normes d'accessibilité du ministère de la Santé et des services sociaux, notamment dans le but d'améliorer le financement d'un cabinet tel que le sien. Accompagner des malades ayant de multiples pathologies n'est pas une sinécure et malheureusement, on se heurte à des règles gouvernementales d'obtention de financement ou de reconnaissance trop rigoureuses et pas toujours adaptées. Le docteur Thomas doit en permanence partir avec son bâton de pèlerin et convaincre les ministres et sous-ministres de l'utilité sociale de la clinique médicale qu'il a fondée, et des multiples besoins qui y sont associés. Plusieurs jeunes médecins très compétents rejoignirent les rangs de son équipe et se consacrent toujours à cette clientèle souvent déboussolée et déstabilisée.

Le docteur Thomas est également un incontournable sur le plan médiatique. Depuis Jeannette Bertrand qui, la première, le convia sur un plateau de télévision, on l'invite sur toutes les chaînes télévisuelles et radiophoniques. Les journalistes de la presse écrite le sollicitent également. Après toutes ces années de pratique, il défend encore et toujours, bec et ongles, ses dossiers et cette cause avec la même passion.

À un certain moment, je me suis sentie mal à l'aise dans la salle d'attente de la clinique l'*Actuel*. Je me demandais intérieurement ce que les gens pensaient de ma présence dans cette clinique. Ma décision de rester et d'y revenir fut des plus faciles à prendre. J'ai toujours combattu les préjugés et me suis toujours rangée du côté des personnes marginalisées. Ce combat commence par laisser les gens penser ce qu'ils veulent et consiste tout simplement à suivre le chemin de ses convictions et de son cœur.

En 1994, le docteur Thomas, me demanda d'animer, à l'école Saint-Henri, son assemblée d'investiture au titre de candidat pour le Parti Québécois dans Saint-Henri-Sainte-Anne. Je rencontrai ce jour-là, « Monsieur » Jacques Parizeau et après ma brève présentation sur scène, je m'assis derrière la salle avec André Boisclair, un jeune politicien brillant avec de grandes ambitions politiques, et ami de Réjean. Durant sa campagne électorale, j'accompagnai Réjean dans les visites de quelques résidences pour personnes aînées et autres restaurants, mais rien de plus. La soirée électorale fut tendue. C'est un 12 septembre, le jour de mon anniversaire de naissance, qu'on annonça sa victoire à la télévision. Ce fut l'euphorie dans son camp. La députée libérale sortante, Nicole Loiselle, est une amie d'enfance. Je ne me sentais pas impliquée en politique active, mais je soutenais mon médecin par pure amitié. Ce soir-là, on crut que Nicole

Loiselle avait perdu ses élections dans Saint-Henri-Sainte-Anne. Mais elle gagna par 641 voix, grâce au vote anticipé, à ces boîtes comptées après les autres au cours de la soirée et à l'organisation, par plusieurs bénévoles, de l'opération dite « sonnette » entre 17 h et 19 h. Cette opération de dernière minute, consistait à lancer ses bénévoles à l'assaut de personnes potentiellement identifiées comme favorables à leur parti politique, n'ayant pas encore voté, afin de les inciter à le faire avant la fermeture des bureaux de votes ; le déplacement leur était parfois offert par un bénévole disposant d'un véhicule jusqu'à leur bureau de votation. La vapeur fut ainsi renversée et la députée conserva son siège. Nicole m'en a toujours voulu de ma participation à la campagne électorale de Réjean. À ses yeux, j'étais péquiste et je l'avais trahie.

Quelques années après cet événement, j'habitais un condo à proximité du sien, dans son comté. On se croisait souvent lorsque nous promenions nos chiens respectifs le long du canal de Lachine et nous échangions comme si de rien n'était. Elle était gentille et affable mais ne souhaitait, sous aucun prétexte, que je me présente en tant que candidate libérale dans Saint-Henri-Sainte-Anne. N'importe qui mais pas moi !

Une fois que je fus élue, en 2007 et en selle dans l'arène politique, nos contacts cessèrent immédiatement. Par la suite, ce fut le néant, le trou noir. Lorsque je pris possession de ses bureaux, tous les dossiers accumulés durant des années avaient été supprimés. Nous dûmes recommencer à zéro, comme si nous étions des adversaires politiques.

En 1994, Réjean perdit ses premières et dernières élections. Il aurait aimé goûter à la saveur politique. Il était très proche de Jacques Parizeau et de Lisette Lapointe, une femme adorable et sensible avec laquelle je m'entendais très bien.

Durant mon mandat au titre de ministre responsable des Aînés, une enveloppe de 800 000 $ était disponible pour des projets de recherche, dans le cadre du volet expérimentation et recherche du programme *Soutien aux initiatives visant le respect*. La Fondation l'Actuel[20], en collaboration avec la chercheuse Dre Isabelle Wallach de l'Université McGill, déposa un projet destiné à effectuer une recherche sur les personnes de 50 ans et plus, vivant avec le VIH. Il importe de savoir que je n'avais aucunement influencé les fonctionnaires dans leur choix d'orientation de cette recherche. Le docteur Thomas et la docteure Wallach obtinrent une subvention de 200 000 $ sur deux ans, car leur projet était novateur. À l'évidence, cette attribution ne fut attribuée qu'en vertu de la valeur du projet et non en raison de notre amitié, comme certains auraient pu l'imaginer. Vous connaissez l'allégeance politique du Dr Thomas et j'étais ministre dans un gouvernement libéral. J'étais des plus vigilantes face à des situations qui pouvaient porter flanc à la critique. Je laissais les fonctionnaires faire l'analyse des dossiers avant de me les soumettre et j'ai rarement posé des questions quant aux choix des projets retenus. Les professionnels qui étudient les

---

20. Créée en 2006, La Fondation l'Actuel a comme objectif d'assurer le bien-être des personnes atteintes du VIH/sida des ITSS et des hépatites. Elle favorise la prévention du VIH/sida et des hépatites.

projets soumis au gouvernement du Québec font un travail rigoureux et très bien documenté. Il faut leur faire confiance.

Il m'arrive, maintenant que je ne suis plus en politique, de partager un bon repas avec mon ami et ces soirées sont toujours extrêmement agréables. Il m'a toujours été fidèle au plan professionnel, en tant que médecin de famille ainsi qu'au niveau personnel ; c'est avec l'ami que je partage certaines expériences de vie. J'admire, comme plusieurs autres personnes d'ailleurs, l'œuvre accomplie par le Dr Réjean Thomas, son combat, sa personnalité, son authenticité et je suis heureuse qu'il soit un docteur de cœur, tout près du mien.

Le radio-oncologue de Jean-Guy

Je rencontrai le docteur Jean-Paul Bahary par le plus pur des hasards. Une de ces personnes que, de prime abord, on déteste et que l'on veut éloigner de nous comme la peste. Comme si cette rencontre était le fruit du mauvais sort.

Jean-Guy avait tiré le mauvais numéro, comme beaucoup d'autres. Atteint d'une tumeur au cerveau, il devait suivre des traitements de radiothérapie. C'est donc le Dr Jean-Paul Bahary, radio-oncologue au CHUM et professeur titulaire à la faculté de médecine de l'Université de Montréal, qui est devenu l'un des médecins traitants de mon mari. Au fil des jours, je découvris que le Dr Bahary avait toutes les qualités requises pour exécuter cette profession. Il était attentionné, dévoué, empathique et surtout il comprenait les proches aidants. Nous étions chanceux. Il sut m'accompagner dans les moments les plus sombres de mes passages à vide, entre la Fondation québécoise du cancer et les visites quotidiennes pour les traitements de radiothérapie au 5e sous-sol. Toutes les semaines, nous avions une rencontre médicale avec lui, généralement les vendredis, à la suite de prises de sang effectuées tous les mercredis. Je considérais être devenue, par la force des choses, « sa » patiente. Je ressentais aussi ce cancer. Il n'était pas physique, mais d'un autre ordre, difficilement explicable. Le Dr Bahary le comprenait parfaitement. Nous n'étions pas le premier couple qu'il accompagnait. Depuis le temps qu'il tentait de soigner des personnes atteintes de cancer, il savait que les familles transpiraient la souffrance et que les malades étaient épuisés à la suite des traitements de radiothérapie et de chimiothérapie. Si j'avais besoin d'avoir accès à lui, je lui transmettais un courriel et à ma grande surprise, il me répondait. Que ce fût en semaine ou en fin de semaine, matin ou soir, peu importait. Cette présence me rassurait. Comme un doudou, elle m'enveloppait et me réconfortait.

Chanez Djeffal, infirmière pivot au CHUM, fut également une véritable maman et me répondait chaque fois que j'avais besoin d'elle. C'était une sorte d'âme sœur, d'une rare authenticité. J'ai aussi rencontré d'autres médecins que le Dr Bahary pendant la maladie de Jean-Guy ; parmi eux, certains n'avaient pas le quart de ces fibres d'altruisme et cette chaleur humaine fondamentale inhérentes au choix de l'exercice de la médecine et plus particulièrement, au combat contre le cancer, avec ses patients.

Le rêve de Jean-Guy – n'ignorant pas qu'il allait mourir – était d'aller, pour la première fois, à la Maison symphonique de Montréal pour écouter résonner le grand orgue Pierre Béique[21] – conçu et fabriqué par la maison Casavant[22] – dans cette nouvelle salle revêtue à 70 % de hêtre de l'Outaouais et qui porte la signature de l'acousticien Russell Johnson. Christine St-Pierre réussit à m'obtenir quatre billets dans la loge ministérielle de madame Hélène David, ministre de la Culture. Cette loge est toujours à la disposition de la ministre qui eut la délicatesse de nous l'offrir. J'ai donc invité le Dr Bahary et sa conjointe à vivre cette expérience avec nous. Je savais que Jean-Guy serait heureux et rassuré. La veille, nous restâmes dormir au Centre Sheraton à la suite d'un traitement de radiothérapie. Nous y fûmes accueillis comme des vedettes par Monsieur Michel G. Giguère, directeur général de l'établissement. Nous nous connaissions déjà car, depuis longtemps, chaque 25 décembre, à l'occasion de Noël, Monsieur G. Giguère et son équipe offrent gracieusement un repas aux vieux amis et aux accompagnateurs de l'organisme *Les Petits Frères*[23]. Depuis plusieurs années déjà, le Centre Sheraton cautionnait cette cause avec plusieurs des employés

---

21. Pierre Béique (1910-2003) fut administrateur de l'OSM (Orchestre symphonique de Montréal) de 1939 à 1970. À ce titre, il avait la responsabilité de l'engagement des chefs d'orchestre et des solistes, ainsi que de la confection des programmes.
22. La maison Casavant Frères est reconnue comme l'une des plus réputées dans le domaine de la facture d'orgues au monde.
23. L'organisme *Les Petits Frères* accueille et accompagne les personnes seules du grand âge, afin de contrer leur isolement, en créant autour d'elles une famille.

de l'hôtel dont certains faisaient à la fois la cuisine et exécutaient le service. Depuis les années 1980, j'étais une fidèle des *Petits Frères,* une cause tentant de briser la solitude des personnes âgées et que je porte toujours dans mon cœur. Au cours des dernières années, en particulier lorsque je fus ministre responsable des Aînés, Jean-Guy et moi étions toujours présents pour partager le dîner de Noël avec les vieux amis.

Lors de ma réservation d'hôtel, connaissant l'état de santé de mon mari, monsieur Giguère nous organisa une vraie surprise. La suite présidentielle nous attendait, pour une somme dérisoire. Une demi-bouteille de porto et des chocolats fins étaient déposés sur la table par la direction de l'hôtel en guise d'accueil.

Jean-Guy se déplaçait de plus en plus difficilement en marchette.

Avant le concert, nous nous sommes reposés un peu car le traitement l'avait fatigué. À la Maison symphonique, l'accès était un peu compliqué. L'architecte avait fait construire de jolies petites marches pour accéder aux loges, mais avec une marchette, l'accès était presque impossible…

C'est donc un 18 décembre 2014 que nous avons écouté et admiré Kent Nagano, dirigeant le concert de Noël avec le ténor Vittorio Grigolo, étoile montante, pour la première fois sur scène à Montréal. À l'orgue, Luc Beauséjour faisait vibrer les tuyaux de l'orgue pour une unique pièce musicale, le Concerto pour orgue en Fa majeur, dit « Le Coucou et le Rossignol » de Haendel.

L'un des rêves de Jean-Guy était réalisé, l'autre étant de guérir comme l'espère toute personne atteinte de cancer. J'étais heureuse que notre radio-oncologue ait pris ce temps de nous accompagner et de partager avec nous ces précieux moments. Ce souvenir impérissable restera gravé dans mon âme pour l'éternité.

Depuis le décès de Jean-Guy, le Dr Bahary et moi nous écrivons de temps à autre ou nous envoyons un message par courriel. Nous aimerions développer un projet tendant à augmenter la qualité de vie des proches aidants. Comment faire le pont entre l'hospitalisation d'une personne malade et le retour à la maison ? Comment soulager les proches de toutes les responsabilités qui leur incombent et les rendent démunis ? Et que dire des malades sans famille et qui doivent se débrouiller seuls ? Je ne sais pas si nous aurons le bonheur de réaliser ce projet ensemble. Mais dans la vie, il faut aussi s'abandonner à ses rêves pour leur permettre de prendre leur envol, voir non seulement la nuit, mais aussi la lumière du jour.

Jean-Guy m'a quittée, mais un nouvel ami est né dans mon cœur et je sais que cette amitié scintillera pour longtemps au firmament de mon esprit. Merci Jean-Paul.

Le pédiatre de nos enfants

Ce pédiatre, très connu au Québec, est devenu un ami à la suite de nombreuses rencontres à la radio de Radio-Canada au début des années 80. Je coanimais l'émission *À votre service* avec Jacques Clermont. Le Dr Chicoine était régulièrement invité à commenter l'actualité médicale et à stimuler, grâce à ses nombreuses connaissances, la curiosité d'apprendre et de comprendre de notre auditoire. Il possédait cette facilité d'expliquer clairement et simplement les maladies des enfants, celles qui angoissent de nombreux parents. Il savait les conseiller.

Lorsque j'animais l'émission *Marguerite et compagnie* à TQS, au milieu des années 1980, il poursuivait sa route dans les médias et disposait d'une chronique régulière dans cette émission. Depuis, il participe à de nombreuses autres émissions, tant à la radio qu'à la télévision.

Son père, le docteur Luc Chicoine, qu'il adorait plus que tout, était, tout comme lui, pédiatre au CHU Sainte-Justine, communément appelé hôpital Sainte-Justine. Jean-François suivit les traces d'un pédiatre d'exception, mon « pharaon » comme il le mentionne dans une lettre ouverte qu'il publie dans le Journal *Inter blocs* du CHU Sainte-Justine en mars 2015, à la suite du décès de son père, survenu le 25 janvier 2015. Jean-François aurait pu faire du théâtre. Il semblait doué pour les arts de la scène, mais il préféra consacrer sa vie professionnelle aux enfants, à l'enseignement, à la recherche, à la sensibilisation et à de nombreuses publications. Il fut sans doute difficile de marcher dans le sillon de son père, un géant de la pédiatrie. Le Dr Luc Chicoine reçut, entre autres distinctions, le Prix Letondal de l'Association des pédiatres du Québec et le prix Saint-Justine à l'occasion du 100e anniversaire de l'institution.

À l'époque de l'émission *À votre service*, au début des années 80, une jolie grande rousse travaillait, en tant que recherchiste de l'émission, tout en poursuivant ses études en notariat. Elle et Jean-François s'étaient rencontrés quelque temps auparavant et c'est elle qui le proposa à Jacques Lalonde, réalisateur de l'émission, en tant que chroniqueur santé. Depuis, ils ne se sont plus jamais quittés.

Esther Rhéaume est notre notaire depuis de nombreuses années déjà. Elle est toujours positive, enjouée, calme et pondérée. Je l'ai revue récemment, à la suite du décès de Jean-Guy, pour mettre à jour mon testament. On repousse souvent cet acte, tout comme le mandat en cas d'inaptitude. Ces actes sont pourtant d'une importance capitale. En l'absence de tels documents, il est très difficile pour les familles de se débrouiller dans les méandres financiers et gouvernementaux. Sans parler des disputes de familles…

Lorsque nos enfants arrivèrent du Pérou ou du Guatemala, le Dr Chicoine les vit dès le lendemain de leur arrivée. Cécilia et Carlos devaient impérativement consulter le médecin, afin de vérifier si la tuberculose avait réellement disparu ou si elle avait laissé des séquelles. Quant à Francisco, il était petit pour son âge. Nous pensions qu'il avait des problèmes de croissance, sans parler de sa mycose au pied. Il hurlait comme un loup et refusait de se faire toucher. Le Dr Chicoine diagnostiqua Francisco « à distance ». Par la suite, nous fûmes en mesure d'appliquer la médication et de l'apprivoiser. Il croyait que nous voulions lui faire mal. Ce fut un véritable tour de force.

Le Dr Chicoine est devenu un spécialiste de l'adoption internationale. Les premiers enfants adoptés, en provenance de l'étranger et qu'il a vus en consultation furent les nôtres. Puis ce fut la déferlante des adoptions internationales sur tout le Québec. Jean-François approfondit cette médecine particulière. Il publia énormément sur le sujet de l'adoption à l'international et constitue, désormais, une référence incontournable dans ce domaine.

Nos deux couples, Rhéaume-Chicoine, Jean-Guy et moi, avons partagé quelques repas, malheureusement trop peu souvent. Les enfants, devenus grands, les consultations d'un pédiatre devenaient inutiles. Nos vies bien remplies et les activités quotidiennes de chacun nous séparent encore aujourd'hui. Juste après le décès de Jean-Guy, nous nous revîmes quelques instants. Tous si tristes. Il venait de perdre son père et moi Jean-Guy. Il avait aménagé un appartement pour ses parents dans sa propre maison. Sa mère, Pierrette Legault, est décédée en 2009 dans ce havre de paix. Lui et sa femme Esther s'occupèrent, en tant que proche aidant, autant de sa mère que de son père. Lors de notre dernière rencontre, nous nous sommes promis de nous revoir avant d'être trop vieux. En écrivant ce court texte sur cette personne au parcours exceptionnel, je me rends compte que j'ai saisi l'essence de son être. Il est certes pédiatre ; mais le don de soi pour ses parents et cet accompagnement jusqu'au trépas, dans l'amour et la tendresse, pourraient sans doute lui donner des lettres de noblesse, dignes de lui permettre d'embrasser la gériatrie sociale.

Un gériatre social

Je ne connais pas beaucoup le docteur David Lussier, gériatre à l'Institut universitaire de gériatrie de Montréal, directeur scientifique d'*AvantÂge* – un centre de promotion de la santé des personnes âgées. Il est aussi spécialiste de la douleur, des soins palliatifs et directeur de l'enseignement. C'est une personne avec laquelle je souhaite, dans un futur proche, développer des projets.

Notre rencontre se déroula sur le plateau de tournage de MA tv, dans le cadre d'une émission sur le vieillissement, animée par Sophie Durocher. J'étais alors ministre responsable des Aînés. J'ai immédiatement réalisé que nous avions plusieurs points en commun sur la manière de percevoir le vieillissement et sur cette bataille qu'est le vieillissement ou « l'âgisme » : un terme utilisé par le gérontologue Robert Buttler en 1969 et faisant référence, à cette époque, aux discriminations touchant les personnes âgées. Dans une entrevue accordée à Patrick Lagacé, chroniqueur à *La Presse*, le 17 mars 2011, le Dr Lussier stipulait que « les vieux, ce n'est pas sexy ». Je suis tellement d'accord avec lui. Pas sexy dans le sens pas à la mode, pas urgent, pas important. Effectivement, il dit : « ce n'est pas sexy pour un gouvernement, de financer les services aux personnes âgées. C'est plus rentable de donner des fonds pour le nouveau centre d'une maladie sexy, photo et pelletée de terre à l'appui, que de financer les soins à domicile. » Je suis en parfaite harmonie avec ce que le Dr Lussier énonce. Le Dr Lussier dit aussi que « la vieillesse, on ne veut pas la voir. Les vieux sont invisibles. » Pourtant nous sommes si nombreux au Québec à vieillir en même temps. Lors des campagnes électorales, les politiciens parlent de l'importance des aînés et par la suite, c'est tristement le silence pour ne pas dire l'abandon… Au Québec, 70 à 80 gériatres prennent soin d'une population de 800 000 personnes âgées de 65 à 74 ans et d'environ 600 000 personnes de 75 ans et plus (Statistiques Canada - estimation au 1er juillet 2015). Pour être juste, je dois dire que la cohorte des jeunes médecins qui se spécialisent en gériatrie a augmenté depuis 2007. Ils n'étaient alors que 50 gériatres.

Actuellement, je corresponds avec le docteur David Lussier sur le réseau Twitter au travers duquel il nous arrive d'échanger. Lorsque nous sommes revenus de notre ultime voyage à Venise, Jean-Guy marchait alors avec une canne de carnaval. Je me suis dit qu'il avait peut-être une maladie liée au vieillissement. J'ai alors contacté le Dr Lussier et nous sommes allés le consulter à l'Institut universitaire de gériatrie de Montréal (IUGM). Il a passé beaucoup de temps avec mon mari, lui posant délicatement plusieurs questions. Le Dr Lussier prit la décision de le garder en observation pour trois semaines à l'unité des soins de courte durée et de lui faire passer une batterie de tests. Il était le plus jeune de l'unité.

Habituellement, on accueillait uniquement les personnes de 65 ans et plus. Mais il pouvait arriver, à l'occasion, qu'un cas nécessite une investigation. Jean-Guy n'est pas resté très longtemps à l'IUGM. Quelques jours seulement. Au cours de la première fin de semaine, on nous donna la permission de rentrer à la maison et de revenir sagement le lundi matin. Jean-Guy avait des spasmes, des convulsions et nous prîmes une autre route : celle de l'Hôtel-Dieu de Saint-Jérôme.

Ce jeune père de famille de quatre enfants qu'est le Dr Lussier manifesta beaucoup d'empathie à l'égard de Jean-Guy. Ce médecin fut son premier répondant. Le premier médecin à le voir pour tenter de percer le mystère de la canne à pommeau de Venise. Nous pensions qu'il était peut-être atteint de la maladie du cinéaste Gilles Carle, la maladie de Parkinson. Mais c'est une maladie dite « sexy » qui l'emporta au large de la Venise de nos souvenirs.

Avec le Dr David Lussier, le grand projet que j'aimerais développer réside dans le fait que je souhaiterais que les gériatres s'intéressent, dans le domaine de la gériatrie sociale, à ce que les personnes qui vieillissent soient maintenues en bonne santé, à leur domicile, aussi longtemps que possible. Il faudrait parvenir à ce que ces soins à domicile ne soient pas que des vœux pieux, mais soient des soins prodigués au quotidien. De ces soins à domicile découleraient des bienfaits sur la santé mentale des personnes vieillissantes, ce dont le Dr Lussier a conscience. Et cette santé mentale conservée ou retrouvée agirait de façon bénéfique sur la santé corporelle des aînés. Le coût financier d'une telle organisation existerait certes à court terme, mais se réduirait considérablement à plus long terme en évitant des maladies accrues et aggravées par un moral défaillant, et en épargnant des hospitalisations prématurées.

Merci au Dr David Lussier, amoureux des aînés. Ce gériatre traite non seulement la douleur physique, mais la douleur qui touche en plein centre la jeunesse des cœurs.

À l'écoute de mon cœur
et parfums d'enfance

« Notre vie entière n'est qu'une quête de sens et un rapprochement vers ce que nous avons de plus précieux : notre cœur »

Marguerite Blais

La *une* du magazine Chatelaine, 1972

La *une* du magazine Madame, 1976

Marguerite Blais, mannequin à New York

Marguerite Blais, mannequin

Mon groupe d'élèves gagnants lors de la finale du
Festival de musique du Québec, 1970. Un voyage
mémorable à bord de Québecair.

Marguerite et Jean-Guy au restaurant Les Serres

À force de m'observer, d'étudier mes réactions depuis un certain temps déjà, je me pose la question de savoir si je suis à l'écoute de mon cœur et si j'agis en fonction de lui. Ai-je réussi à m'aimer ? À m'accepter ? Je ne suis pas une personne compliquée, mais complexe. Pourtant, je pense avoir tous les outils nécessaires à atteindre l'épicentre de ce cœur. Il faut dire que, la plupart du temps, je suis dans une bulle, dans ce monde qui est mien et qui se contracte comme une strie. Malgré mes airs de fonceuse, je crains cet engagement relationnel à long terme. J'ai pourtant partagé ma vie avec un homme pendant trente-six ans. Mais Jean-Guy saisissait l'essence de mon pays intérieur. Il était tout aussi solitaire que moi. Nous étions deux solitudes divergentes, mais réunies, tout comme des jumeaux dizygotes[24]. Mes amitiés, elles, sont souvent parcellaires.

Parfums d'enfance

Ai-je peur de l'engagement ? D'aimer mon cœur ? Malgré les apparences, je suis une âme flottante. Enfant, l'un de mes jeux

---

24. Dizygotes : faux jumeaux.

préférés était de placer ma petite vaisselle en jouet, sur le bord de la fenêtre de la cuisine, lorsqu'il pleuvait. Je tournais le dos aux adultes présents et j'observais la pluie tombant goutte à goutte, comme un expresso, dans ma petite tasse que j'imaginais en porcelaine ; comme les tasses en porcelaine anglaise que maman prenait soin de déposer délicatement sur la dernière tablette de l'armoire de la cuisine et qui se recouvraient, au fil des mois, d'une fine couche de poussière. Elle les sortait une fois l'an, prenant soin de les laver avec douceur avant de prendre un thé Earl Grey, accompagné de petits fours. Aujourd'hui j'aime toujours autant la pluie qui tambourine en pleine nuit sur la fenêtre entre-ouverte de ma chambre et j'écoute ces mélodieuses sonorités parfois *lento*, parfois *presto,* tomber sur le sol du boisé. Dans mon enfance, certaines filles me jalousaient. Je connaissais déjà quelques petits succès sur scène, j'étais tirée à quatre épingles alors que nous vivions dans un quartier ouvrier. Les froufrous et les paillettes virevoltaient sur les différents plateaux, agrémentés de mes sourires complices vers le public, le temps de claquer mes souliers. Maman me confectionnait de jolies robes sur sa machine à coudre Singer munie d'une pédale qui résonnait comme un instrument de percussion. Elle coiffait soigneusement mes longs cheveux blonds, prenant le temps d'ajouter aux frisettes bouclées la veille, de soyeux rubans de taffetas. Je connaissais mes leçons sur le bout des doigts et m'appliquais pour les devoirs, afin d'obtenir un ange apposé sur la page de mon cahier par une religieuse de la Congrégation de Notre-Dame. Angelot bleu et rose qui me faisait tournoyer sur les nuages du ciel… Ces religieuses portaient une longue robe noire et une cornette blanche.

J'éprouvais de la difficulté avec les tables d'arithmétique. Mon père en collait une sur toutes les portes de la maison afin d'obliger une mémorisation, à force de contemplation. Mes mains effilées gambadaient sur le clavier ivoire de notre piano solidement ancré sur le plancher et appuyé sur le mur vert du salon. Puis, tous ces cours de diction que je suivais assidûment avec Pierrette Champoux, pionnière des ondes québécoises, lauréate du concours d'art dramatique organisé par CKAC en 1946. Et cette manière de m'exprimer dans une langue française articulée qui tranchait avec le langage populeux utilisé par la plupart des écolières… Je n'allais jamais à l'école ou n'en revenais jamais sans mon père ou sans une gardienne pour m'accompagner jusqu'à la porte. Lorsque les réverbères s'allumaient, entre chien et loup, je rentrais sagement. Je n'avais aucune autre alternative. Il m'était interdit de m'amuser avec les enfants dans la ruelle le soir venu. Aussi les distances avec les autres de mon âge s'installaient-elles peu à peu.

Et tous ces nombreux prix que je remportais lors de concours d'amateurs… Ils n'engageaient pas à forger ni à renforcer les amitiés. Pourtant, une complicité s'installa peu à peu avec Lise Roy. Elle était une adorable amie et habitait avec son père dans un appartement près de l'école Jeanne-LeBer, rue Wellington à Pointe-Saint-Charles. Mon père l'aimait beaucoup. Mais la vie, sans raison, nous a séparées. Nous fûmes à nouveau et récemment réunies grâce à Facebook, ce réseau social à succès, avec ses bons et mauvais aspects ; nous échangeons virtuellement et nous promettons une belle rencontre afin de rattraper le temps perdu. C'est maintenant une grand-maman qui adore ses petites-filles, dévouée et aimante à en juger par toutes ces photos qu'elle affiche sur sa page Facebook.

Lorsqu'à l'âge de 13 ans, en 1963, je remportai le premier prix des *Jeunes talents Catelli* au canal 10 – émission réalisée par Claude Taillefer – prix s'accompagnant d'une bourse de 1 000 $, je fus la risée de plusieurs élèves du secondaire. Je fus victime d'intimidation, de provocations physique et psychologique d'une réelle violence, à cause du prix associé aux pâtes et aux sauces de cette entreprise. Nous étions à Saint-Henri et je représentais la fille hors norme, aux multiples talents, qui cherchait à se creuser une niche au sein de ce quartier. Une grande fille plus âgée que les autres, assise près de mon pupitre dans la classe – une dure à cuire dont l'amoureux était en prison – me protégeait contre vents et marées. Heureusement qu'elle me défendait, autrement je ne sais pas comment j'aurais pu m'en sortir. J'étais terrorisée. On me considérait comme celle ayant tout pour plaire et pour séduire, pas vraiment à sa place dans ce milieu de travailleurs d'usines. Pourtant, j'étais issue de cette source ouvrière, mais élevée comme une bourgeoise de Westmount. C'était un paradoxe et il me poursuivit tout au long de mon parcours de vie. Comme si je n'étais jamais à la bonne place, au bon moment. C'est pourquoi j'aime autant la notion de la double contrainte et de l'injonction paradoxale chères à Gregory Bateson et de ce courant de pensée de l'École Palo Alto. C'est le non verbal qui domine le verbal. Une forme de non-communication. Deux demandes oppressantes qui s'opposent. Pour s'en sortir, on doit

« métacommuniquer » et recadrer nos situations de vie. Oser la créativité, la spontanéité, la métaphore, l'implication, être ce que nous sommes et se révéler (Association CVP – contre la violence psychologique, 6 février 2013, Internet). Cette notion paradoxale m'aide à mieux me comprendre au fil de mes histoires de vie.

Au cours de mon enfance, mon père se levait souvent la nuit pour vérifier si mon cœur battait… toujours. L'été, s'il découvrait que je m'étais endormie avec les pieds sales, il me réveillait et les lavait. Au secondaire, il venait souvent me reconduire et m'attendait à la sortie des classes pour me ramener à la maison. Il n'aurait accepté sous aucun prétexte que les garçons tournicotent autour de moi. Je me sentais évidemment différente des autres et je m'observais comme si j'étais à l'extérieur du groupe, « telle la fleur de lys gravée au fer rouge sur l'épaule des galériens » (Erving Goffman, *Stigmate*, Les Éditions de Minuit, 1975).

C'était un peu lourd à porter. Je ne doutais aucunement de l'amour que mes parents me portaient, mais à cette époque je me sentais trop paternée. Il m'arrivait de mentir à mon père et d'aller danser. Tout près de l'école secondaire Esther-Blondin à Saint-Henri, une salle de danse connaissait un vif succès. Elle était située dans une ancienne salle de spectacles de la rue Notre-Dame. J'y allais parfois en cachette en fin de journée, tout comme d'autres étudiantes de l'école qui se précipitaient pour vivre leur adolescence et l'approche de la sexualité. Je dansais au son de l'orchestre des *Classels*, l'un des groupes faisant fureur dans les années 1960, sur les paroles de leur célèbre succès *Ton amour a changé ma vie.* Je laissais à peine un ou deux garçons me serrer contre eux, sur des airs de musiques langoureuses. Je me détachais rapidement et ce n'était que de courte durée. Je devais rapidement reprendre l'autobus et me précipiter à la maison où mon père m'attendait. Il me répétait au moins une fois par jour que si je perdais ma virginité, aucun homme ne voudrait m'épouser. Cette question le taraudait. Il en faisait une question d'honneur. Voilà sans doute la raison pour laquelle il m'espionnait autant. À la maison, je pratiquais le piano ou je prenais la relève de maman pour donner des cours de danse à claquettes. J'aimais enseigner. Je me sentais utile.

Au cours de ma dernière année de secondaire, je rencontrai un garçon qui me plaisait. Robert habitait à proximité de l'école. Le midi, nous marchions ensemble dans le Parc Sir George-Étienne-Cartier et nous nous tenions timidement par la main. Sa mère – que je reverrai lorsque je serai députée de Saint-Henri-Sainte-Anne – me servait parfois un bol de soupe pour me réchauffer et un sandwich en accompagnement. Cette femme était douce et agréable.

Lorsque Robert sonna à la porte de ma maison pour demander à mon père l'autorisation de m'accompagner au bal des finissantes, papa le chassa à coup de balai. Heureusement que ma mère est venue à ma rescousse. Elle parvint à le raisonner en lui disant que je terminais ma onzième année et qu'il était temps que je commence à voler de mes propres ailes.

Mon rêve d'adolescente était de valser avec mon prince charmant sur la piste, lors de la danse officielle d'ouverture du bal. Robert était timide et refusa de m'inviter à danser. Je fus la seule personne assise pendant ce moment phare de la soirée. À ce jour encore, ces instants restent douloureux dans ma mémoire, malgré ces souvenirs surranés. Je me revois vêtue de cette robe avec ses multiples fils d'or, faite à la main par une excellente couturière. Son encolure carrée et sa découpe princesse stylisée. Une petite bourse confectionnée dans le même tissu, retenue par un cordon de velours noir similaire à celles de la Renaissance, veillait sur mes petits trésors. Un corsage de minuscules roses blanches au poignet complétait cet ensemble. Je m'imaginais en farfadet de mes contes de fées. Mais ce n'était que pure illusion, un autre déséquilibre…

Cette tranche de vie fut également marquée par la rencontre d'un groupe de penseurs, poètes, personnes de théâtre, musiciens et philosophes que je fréquentais de temps à autre. Nous étions au temps des beatniks. Mon style vestimentaire ne cadrait pas avec leur allure. Ils étaient tous de noir vêtu et je m'affichais en rose pâle. Je m'en souviens comme si c'était hier : on me titillait sans cesse, on m'enguirlandait parce que j'osais porter ce léger tricot avec ses rayures grises sur fond rose ; elles ne faisaient pas partie des critères esthétiques du groupe. Quelques mois plus tard, à la suite du fameux bal, mon père accepta que ces amis viennent à la maison pour une soirée d'Halloween. Je découvris que les garçons étaient tous homosexuels sauf mon chevalier servant, Robert. C'était comme si j'avais réussi à me faire des amis – gais – malgré l'injonction paternelle de ne pas sortir avec des garçons. Je me sentais digne d'une œuvre impressionniste.

En septembre de cette même année, je fis mon entrée au Conservatoire de musique de la province de Québec. Je choisis l'orgue comme instrument principal. Ma petite amie de classe à la maternelle, Hélène Dugal, aujourd'hui titulaire des orgues de la Basilique-cathédrale Marie-Reine-du-Monde, était déjà inscrite en classe d'orgue avec Raymond Daveluy. Je suivis sa trace et l'orgue devint mon instrument principal. Ainsi, je pouvais mieux me libérer de la surveillance incessante de mon père puisque je devais pratiquer mon instrument dans une église et non dans le salon de la maison. Je n'avais pas l'impression d'être une musicienne à la hauteur des attentes de mon entourage. Je ne savais pas improviser ; et dans ma perception des choses, un bon musicien devait pouvoir s'évader d'une partition. Mon professeur d'orgue, Bernard Lagacé – un grand maître reconnu internationalement – était très rigoureux. J'avais la vague impression qu'il était trop dur, trop exigeant avec moi. Ce sentiment se développa surtout vers ma cinquième année d'apprentissage. Je me sentais écrasée et incapable d'atteindre l'objectif fixé. J'étais pourtant une bonne musicienne, je travaillais avec un très grand organiste ; je pratiquais mon instrument plusieurs heures par jour. Je ne savais pas comment lui exprimer mon malaise qui s'accentuait de jour en jour et qui m'enlevait toute confiance en mes capacités. Je me refermais comme une huître en tentant de préserver la perle.

Afin de pourvoir à mes dépenses personnelles durant mes études au conservatoire de musique, je travaillais en parallèle en tant que mannequin. Deux exercices diamétralement opposés : musique religieuse et mannequinat. Bernard Lagacé ne semblait pas apprécier cette déroutante orientation. Je n'avais pas la stature physique pour réussir professionnellement en tant que mannequin. *L'Agence Constance Brown* – agence glamour de recrutement de mannequins – réussit à m'obtenir des contrats pour certains défilés « teenage » entre autres chez *Eaton* et *Simpson,* deux grands magasins aujourd'hui disparus ou chez *Morgan* – aujourd'hui *La Baie.* Les chorégraphes utilisaient la danse pour enluminer les vêtements et attirer cette jeunesse captive de créations griffées. J'excellais sur le podium par mes airs décontractés et ma facilité d'expression scénique.

J'enseignais également la musique dans une maternelle musicale chez Mademoiselle Marie-Jeanne Fortier. Cette professeure de piano qui me connaissait depuis l'âge de trois ans, me faisait totalement confiance. Elle couvrait le coût de mes cours pédagogiques à l'École normale de musique. J'étudiais, entre autres, la méthode *Carl Orff,* une approche holistique en éducation que j'utilisais pour enseigner la musique trois jours par semaine à des enfants qui fréquentaient l'unique maternelle musicale au Québec ; ils étaient âgés de trois à cinq ans. Ce fut une période particulièrement belle de ma vie. Flûtes à bec, métallophones, glockenspiels, timbales, piano et voix se croisaient et s'entrecroisaient. Les enfants formaient un petit ensemble des plus sympathiques.

Nous nous inscrivîmes au Festival de musique de la province de Québec et obtînmes, en 1970, une deuxième place lors de la finale provinciale se déroulant dans une église à Baie-Comeau, sous la présidence du célèbre maestro Wilfrid Pelletier. Mademoiselle Fortier fut significative dans ma vie par sa générosité, sa tendresse et par sa manière de savoir me guider dans l'univers musical.

Lorsque je quittai le conservatoire de musique, juste avant de terminer ma dernière année, j'étais perplexe, contrariée, désorientée et en quête d'un autre rêve. Pour parvenir à m'inscrire à l'université, force était d'admettre que je devais suivre des cours d'appoint au collège Marguerite-Bourgeoys, afin d'obtenir un diplôme de CEGEP[25]. Acceptée en droit à l'Université McGill et à l'Université de Sherbrooke, je tournai le dos à ce projet.

À ce moment, propulsée par mes élèves de danse à claquettes au concours *Mademoiselle Québec* en 1971, j'obtins une deuxième place en interprétant au piano une sonate de Scarlatti. Cette expérience m'ouvrit toute grande la porte du showbiz. Ma trajectoire de vie, une fois de plus, déviait. Je délaissai mes instruments de musique et me mis à pousser la chansonnette. J'enregistrai avec le producteur Michel Constantineau trois 45 tours qui connurent un certain succès. Les paroles étaient toutes signées par le chansonnier Pierre Létourneau. Au fond de mon cœur, je savais que je n'étais pas une véritable chanteuse. Il était facile d'entrer en studio et d'enregistrer. Lorsque j'entendis Diane Dufresne pour la

25. CEGEP : collège d'enseignement général et professionnel.

première fois, j'arrêtai de pousser la note. Je n'avais pas son talent, son style, son envergure, ni sa douce folie. J'adorais l'image qu'elle projetait.

En 1973, je m'aventurai à New York pour étudier le théâtre et la comédie musicale au HB Studio (Herbert Berghof) situé dans le Greenwich Village-Manhattan. J'étais sur un nuage ; je planais. J'aimais cette grosse pomme polluée, ses restaurants, ses boutiques, ses musées, ses spectacles de jazz et de comédies musicales. J'aimais son métro gris souterrain et cette faune bizarre qui sillonnait Central Park, le poumon de la ville aux couleurs verdoyantes de nature et d'aventure. Je me débrouillais très bien. Je réussis à obtenir un H-1B Visa, le plus convoité des visas de travail, afin de pouvoir travailler aux États-Unis, en utilisant mon accent francophone. J'obtins un second rôle dans une pièce *Off-Broadway*, interprétant une boniche française ; j'ajoutai à cela plusieurs autres petites jobs de photographies publicitaires notamment.

Je serais restée à New York toute une vie, mais une rupture amoureuse me ramena à Montréal. Je comparai les deux villes avec une immense nostalgie. Les feux de la rampe de cette merveilleuse cité américaine qui fait rêver malgré son coût de vie élevé, me disaient, dans mon for intérieur, que j'aurais pu me tailler une place au soleil. À mon retour, je ne cessai pas de travailler. Je fus à la fois Catherine, un reporter dans une série pour la télévision éducative de l'Ontario ; je fus animatrice ainsi que reporter à la circulation à CJMS, la radio la plus populaire au Québec. Nous étions à l'heure des Jeux olympiques et l'effervescence était palpable à Montréal. Je distribuai des billets pour assister aux différentes compétitions, lors d'un concours organisé par le Journal de Montréal et CJMS. Ciné-Vacances, aujourd'hui Radio-Québec… Et la suite des choses ne fut qu'une enfilade d'émissions, tant à la radio qu'à la télévision, en tant qu'animatrice. Une magnifique carrière qui me permit de briller pendant de nombreuses années sous les projecteurs et microphones.

J'étais en totale harmonie avec ces différents rôles.

Ces implications donnèrent un sens à toute ma trajectoire de vie. Je me sens proche de mon cœur lorsque je donne aux autres, car je reçois beaucoup plus en retour. Récemment, je me suis esquivée de la vie politique. Je me suis sentie poussée vers une porte de sortie et je l'ai prise. Je n'ai jamais été en mesure de vivre des situations où l'indifférence de certaines personnes était palpable. J'ai toujours préféré partir en douceur, sans fracas, en me questionnant sur ce paradoxe du non verbal en opposition au verbal. Dire une chose et faire son contraire ne m'inspire guère. Je me sens mal à l'aise, en dehors de ma trajectoire dans de telles situations et j'évite à tout prix la controverse. Mais mon cœur s'en ressent et je me demande si je suis assez près de lui. Notre vie entière n'est qu'une quête de sens et un rapprochement vers ce que nous avons de plus précieux, notre cœur. Si nous ne parvenons pas à l'aimer, comment pourrons-nous aller vers l'Autre et nous engager sur une voie d'avenir ?

La suite viendra... un jour !

« *La mémoire constitue la nature de la communication* »

Still Alice, film,
réalisateurs Richard Glazer et Wash Westmoreland

Robert Dobbie, président de l'Association libérale
de Saint-Henri-Sainte-Anne

Ma vie fut ponctuée de différents parcours, tous plus éclectiques les uns que les autres. De la musique à l'animation, de la *Fondation du maire de Montréal pour la jeunesse* au Conseil de la famille et de l'enfance et… la politique.

J'aurais grand besoin de parler à ma mère afin de lui demander comment j'en suis arrivée là. Quelle mouche m'a piquée pour m'engager activement en politique ? Pour changer le monde ? Je ne serais pas la première. La politique est une ruineuse de vie. Jean Charest, Premier ministre du Québec de 2003 à 2012, disait qu'après la politique, il y avait… la vie.

Ma trajectoire en tant que ministre responsable des Aînés, m'a profondément marquée. Outre le phénomène de solitude observé chez nos aînés, c'est ma propre solitude que j'ai découverte. Quand on fait un métier dans la politique, on est seul. Peu d'amis et peu de confidents. On est sur la défensive et on se protège. On doit se fier à son instinct de survie et à ses capacités de leadership. Apprendre à faire confiance à son équipe dont la mission est de te protéger et de t'accompagner. En politique, j'ai fait confiance à mon président d'association libérale Robert Dobbie ; il s'occupait du comté depuis au moins deux décennies et a appris à m'accueillir, à m'aimer et à devenir mon ami.

J'ai fait confiance à Clare Romandini, mon agente officielle avec laquelle j'aime partager de doux instants, à Monsieur D., pour Gilles Daigneault, un octogénaire qui connaît le comté de Saint-Henri-Sainte-Anne comme le fond de sa poche, à Isabelle Gautrin, la directrice du bureau de Saint-Henri-Sainte-Anne, ma belle et douce amie qui ne m'a jamais trahie. À Gabriel Retta qui la remplaça un certain temps et qui fut à la hauteur de mes attentes. À Nicole Taillefer, une soie en soi, et à bien d'autres personnes lumineuses qui ont travaillé au bureau de comté au cours de ces quelques années.

J'ai grandement apprécié le travail de Claudette Pitre-Bélanger, d'Hélène Blais, Jean-François Aubry, Joël Bibeau, pour ne citer qu'eux parmi ces extraordinaires bénévoles. Je leur ai fait confiance et m'en félicite aujourd'hui car toutes et tous se sont dévoués pour ma réussite. Je m'en voudrais de ne pas remercier mes quatre chefs de cabinet : Louis-Marie Pelletier, Hélène Ménard, André Ménard et Josée Lévesque. Vous avez toutes et tous été formidables avec vos équipes respectives d'attachés politiques.

Aujourd'hui, je réalise que j'ai vécu des moments de vie exceptionnels. J'ai rencontré une quantité phénoménale de personnes âgées. J'ai chanté et dansé avec elles et je les ai aimées. Pour s'occuper des aînés, il faut impérativement les admirer et les respecter. Je t'appelle maman pour te dire que mon prochain parcours de vie sera consacré aux aînés et aux proches de cœur, mais dans un contexte différent de celui de la politique…

En écrivant ces quelques histoires singulières sur des personnes ayant traversé ma trajectoire de vie, je me rends compte que ma besace contient plusieurs autres acteurs significatifs, déclencheurs des modifications dans le sillage de mon parcours depuis ma naissance.

Cette suite de récits proposant une écriture reconstituante de mon histoire personnelle telle que je la conçois, a débuté avec l'apparition de la « guêpe » dans la tête de Jean-Guy Faucher, la personne qui m'a fait basculer dans une vie assidue de couple, le 30 décembre 1978.

Je dis à qui veut l'entendre depuis son absence, que je suis une « proche de cœur ». En réalité, c'est lui qui est proche de mon cœur. Il a veillé au grain, sur le mieux-être de mon univers, durant une grande partie de sa vie en m'enveloppant dans un cocon. Sa présence dans toutes les étapes charnières de mes expériences a fait la différence. J'ai réussi à percer le tunnel pour atteindre certains de mes rêves, parce qu'il actionnait les fils de la marionnette que j'étais. Il s'occupait de tout dans la vie quotidienne. Je n'avais qu'à entrer en scène et à me donner en spectacle ou à profiter des feux d'artifice qui magnétisaient les images déferlant sur ma vie en cinémascope. Lorsqu'il est tombé littéralement en bas du lit, le jour des convulsions, qu'il pouvait à peine se soutenir tellement il tanguait de droite à gauche, comme une petite barque prise dans la tempête, j'ai décidé que mon heure était arrivée de manipuler la manette du lever du rideau. Pour la première fois de ma vie, je pris résolument l'ensemble des décisions et le contrôle sur la bourse de nos actions quotidiennes.

Malheureusement, je ne pouvais extraire la guêpe de son cerveau. Le neurochirurgien non plus. Mais je l'ai chassée et traquée à ma manière avec un mousqueton métaphorique. Jean-Guy m'a consacré une grande partie de sa vie. Il m'était entièrement dédié. J'aurais dû le comprendre plus tôt. Mais ce type d'amour inconditionnel affole. La peur de perdre le contrôle sur soi amène parfois à un repli. Ma vie durant, j'ai appris à gérer mon déséquilibre. Jean-Guy tenait solidement le fil, afin que je puisse marcher sur les pointes, tenant mon parapluie duquel tombaient des pétales de roses.

Ce jour de septembre 2014 où je suis entrée en guerre contre la guêpe, le numéro d'équilibriste sur le fil de l'amour était enfin prêt. Prête pour cet ultime spectacle de l'un qui se donne à l'autre. De celle qui sait que l'Amour protège les mauvais génies pouvant s'infiltrer dans sa maison. J'ai eu peur de trop aimer. Cette crainte d'être prise au piège et qui nous empêche de vivre à l'unisson, à l'union. Mais on n'aime jamais trop.

Ces belles paroles devraient se transposer sur la portée musicale de la vie, écrire la partition, afin que les blanches et les croches, les bécarres et les bémols, les triolets et les points d'orgue prennent une couleur unique vibrant aux sons de deux cœurs, dans la passion et l'engagement.

C'est Jean-Guy qui me donne la force de me refaire et d'apprendre à poser pied à terre. Juste vivre sans courir après les ailes du moulin pour le faire tourner plus vite que le vent... J'ai toujours travaillé sans me retourner, pour ne pas voir ma vie défiler à la vitesse d'un mannequin à longues jambes sur un podium de haute couture. Mettre un frein, ajuster son refrain et juste ne rien faire de précis n'a jamais fait partie de mon rythme. Mais cette récente déviation de ma trajectoire me force à enclencher un tempo plus lent et à me donner du temps pour me découvrir.

J'aurais pu énoncer le nom du Dr Guy Roberge, cardiologue. Avant de démissionner de mon mandat de députée, je l'ai revu une quatrième fois. Il me suivait depuis le décès de mon frère Daniel. Il prit sa retraite de ses fonctions en cardiologie et formula le souhait de voir tous ses patients avant de tirer sa révérence, ce qui l'honore. Lors de notre dernière rencontre en août 2015, je le remerciai et lui demandai de profiter de la vie. Je lui dis que je me sentais mieux et que je n'avais plus besoin d'un cardiologue. Il me fit passer une autre épreuve d'effort sur un tapis roulant. Moi qui venais de vivre des mois d'épreuves... À la lecture des résultats, la faiblesse au cœur étant persistante, je devais prendre des médicaments quotidiennement et être suivie. J'aurais pu évoquer cette faille pour quitter le *Salon bleu*, mais j'en étais incapable. J'étais terrorisée par ce que je ne voulais pas entendre. J'avais également besoin d'un autre défi pour me tirer d'affaire : accomplir des tâches que j'aime en tous points pour survivre à mes deuils. Jean-Guy n'est plus à mes côtés pour prendre soin de mon cœur. Je m'entraîne dans un centre de conditionnement physique et je fais du yoga. J'essaie de ralentir autant que possible la cadence et de me refaire une santé, car la vie nous est prêtée, c'est cela que je réalise.

Je deviens tout doucement une grand-maman prenant un peu plus de temps pour chérir ses petits. J'étais si occupée que Jean-Guy était à la fois grand-père et grand-mère.

La vie politique ne me manque pas. J'aurais été incapable de poursuivre ce marathon. Je n'ai certes pas déserté comme certains éditorialistes le prétendent. J'ai juste sauvé ma peau. Lorsqu'un nouveau jour se lève sur l'étoile de ma vie, j'observe les étoiles qui se couvrent au firmament de leur nuit.

Cette « sabbatique » met du baume sur tout mon corps enveloppé de souvenirs et de désirs. Je ne vais pas rester à me dandiner éternellement dans le fauteuil de mon salon en visionnant des films. J'ouvrirai bientôt un autre chantier, qui permettra à mes pétales de se déployer à nouveau et de surmonter les défis qui s'offrent à la vie.

Je remercie toutes les personnes significatives dans les différents passages de mes voyages. Je n'ai qu'effleuré la plupart des sujets et acteurs. D'autres sont encore dans l'ombre de ce scénario. Mais ils brillent dans une salle de banquet où un cocktail de gratitude leur est servi. Je les remercie aussi en espérant que je pourrai un jour les projeter à leur tour sur la scène, par ma plume.

C'est avec l'*Adagietto*, soit le quatrième mouvement de la cinquième symphonie de Gustav Malher, avec les souvenirs du film de Luchino Visconti (1971) *Mort à Venise* que je renais.

Tu me diras des nouvelles du monde
dans ton sommeil sans rêve et sans chagrin.
Tu me diras comme la terre est ronde
et si l'amour à croisé tes chemins.

Gilles Vigneault.

Marguerite Blais, Ph. D.

Titulaire d'un postdoctorat, d'un doctorat et d'une maîtrise en communication, Marguerite Blais est une figure bien connue du grand public pour sa carrière ayant débuté à la télévision et à la radio (1971 à 2002). Elle prend ensuite la direction générale de la *Fondation du maire de Montréal pour la jeunesse* (1996 à 2003) poursuit alors sa carrière à titre de présidente du Conseil de la famille et de l'enfance (2003 à 2007) pour finalement entrer en politique au sein du Parti libéral du Québec, élue dans la circonscription de Saint-Henri-Sainte-Anne en 2007. Elle devient Ministre responsable des aînés (2007 à 2012), est ensuite nommée vice-présidente de la Commission des relations avec les citoyens (2014 à 2015). Depuis son retrait du monde politique, elle joint récemment les rangs du cabinet Octane Stratégies Communications à titre de conseillère spéciale, aînés et proches aidants, où elle partagera périodiquement sa grande expertise en conseillant des organisations sur leurs stratégies de communication et en animant des consultations publiques et rencontres privées. Tout en poursuivant son engagement auprès des aînés et des proches aidants, elle consacre également une grande partie de son énergie professionnelle à offrir un soutien actif auprès des personnes sourdes, avec notamment la création de la bourse qui porte son nom pour soutenir les étudiants sourds et malentendants de l'UQÀM.

Membre de multiples conseils d'administration, comités, jurys et porte-parole pour plusieurs causes au cours de sa carrière, elle est engagée socialement et fut très active auprès de plusieurs organismes, notamment à titre de gouverneure pour Resto Plateau, une entreprise d'insertion sociale. Par ailleurs, elle appuie de multiples causes en lien avec la famille et les enfants, ce qui l'amène au Gouvernement du Québec où elle devient membre du Comité consultatif de la lutte contre la pauvreté et l'exclusion sociale en 2006.

Récipiendaire de plusieurs prix et reconnaissances pour son dévouement et ses contributions remarquables dans les secteurs de l'éducation, du développement humain, de projets civils et sociaux et afin de souligner sa contribution exceptionnelle au développement et au rayonnement de plusieurs institutions renommées, elle obtient, entre autres, les *Prix Reconnaissance UQÀM* de la Faculté des Lettres, langues et communications (2004) et celui du *Prix Reconnaissance* de la Fondation de la Surdité et de l'Institut Raymond-Dewar pour son livre *Quand les Sourds nous font signe : histoires de sourds* (2003).

Autres publications de l'auteure

Apprendre à vivre aux frontières des cultures sourdes et entendantes : histoires d'enfants issus de parents sourds, co-auteure avec Jacques Rhéaume, Presses de l'Université Laval, 2009.

La culture sourde. Quêtes identitaires au cœur de la communication, Presses de l'Université Laval, collection Sociologie au coin de la rue, Avril 2006.

Quand les Sourds nous font signe. Histoires de sourds, Éditions Le Dauphin Blanc, Novembre 2003.

Aussi disponible en version numérique

RECYCLÉ
Papier fait à partir
de matériaux recyclés
FSC® C103567

Imprimé sur du papier Enviro 100% postconsommation
traité sans chlore, accrédité ÉcoLogo et fait à partir de biogaz.

100%   PERMANENT

Cet ouvrage, composé en Adobe Garamond Pro,
fut achevé d'imprimer au Canada
en mars deux mille seize
pour le compte
de Marcel Broquet Éditeur